推薦文

• 有些人認為基督教信仰變得既沉悶又死寂；這本書對他們太重要了。《疾風烈火》一書向我們顯明：神正在這個時代中工作，祂也盼望能在我們的生命中工作。

司約瑟博士（Dr. Joseph M. Stowell），慕迪聖經學院院長

• 布魯克林會幕教會真正追隨了新約聖教會的腳步。本書的內容令人深受感動，書中呼籲今天的教會：回歸神的話語和禱告，離棄當前流行的廉價替代品。

沃華倫（Warren W. Wiersbe），聖經學者，前慕迪紀念教會牧師

• 辛傑米牧師滿懷慈愛，卻又強烈地呼籲我們──基督的教會應該好好照照鏡子，為自己徒勞無功地想做屬於聖靈的工作而悔改，回到屬於我們的膝蓋工夫上。只有這樣，神才能以超越自然的方法，完成祂對我們的事工和生命的計劃。

隆美爾博士（Dr. Ron Mehl），比福頓四方教會牧師

• 傑米和凱蘿堪稱神最信任的僕人。神使用了一個在布魯克林街頭長大的孩子，使布魯克林會幕教會有今天的成長。祂實在行了一樁神蹟！

蓋比爾與葛羅麗亞（Bill & Gloria Gaither），詩歌作者

• 辛傑米的呼聲，是值得每個人聽從的。他以熱忱與單純

的心，使偉大、古舊的福音變得有力量而清晰——以當代的力與美，活化了福音。

海福德（Jack W. Hayford），道上教會牧師

● 很少有教會對城市中失喪的靈魂有負擔；辛傑米和布魯克林會幕教會則是其中之一。他們容讓聖靈使用他們，將新鮮的生命注入看似沒有希望的生命當中。

尼基古茲（Nicky Cruz），《逃》（Run Baby Run）等書作者

● 毫無疑問地，神將手按在辛傑米牧師身上，培育了一個偉大的城市事工——布魯克林會幕教會。這個教會在他的領導之下，成為全美各地教會的楷模和激勵。這全是因為他們倚靠聖靈的大能，並且強調禱告。

崔多馬（Thomas E. Trask），神召會聯會會督

● 如果你有機會造訪辛牧師的教會，千萬別錯過了。如果你沒機會去，就一定要讀《疾風烈火》。這個教會有個不凡的故事，及一位滿有活力、聖靈充滿的牧師，將把疾風與烈火帶進你的生命裡。

布連納（Bob Briner），ProServ 電視台總裁

當神的靈進入人的心中
將發生多麼奇妙的事！

疾風烈火

作者／辛傑米 紐約布魯克林會幕教會牧師
　　　　梅定恩

翻譯／楊高俐理

封面設計／謝文賓

疾風烈火

辛傑米、梅定恩　著　　楊高俐理　譯

出　版　者	雅歌出版社
發　行　人	蘇南洲
總　編　輯	彭海瑩
執 行 編 輯	劉思潔
總　代　理	基文社
	台北市辛亥路一段 66 號 2 樓
	電話／(02)2362-8629　2363-5616
	傳真／(02)2365-8019
	郵撥／1359524-2　基文社
登記證字號	行政院新聞局局版台業字第 3674 號
承　印　者	松霖印刷廠

中華民國 89 年（2000 年）8 月初版

Fresh Wind, Fresh Fire

by Jim Cymbala & Dean Merrill

Translated by Lily K. Yang

Published by Zondervan Publishing House

Copyright © 1997 by Jim Cymbala

Chinese edition published by permission

© 2000 Christian Arts Press

2F, No. 66, Hsin–Hai Rd., Sec.1

Taipei, Taiwan, R.O.C.

First Printing, August 2000

每本定價 NT$300

ISBN 957-8763-87-5

目錄

序

親歷風火之後的榮美

楊高俐理

　　十四張唱片CD，數不盡的生命被改變，世界各地幾百萬的人唱著他們的歌！這是關於他們的故事——紐約布魯克林會幕教會——一個神奇的教會的故事。神在他們當中行了大事！

　　第一次聽到布魯克林會幕教會已經是十多年前了。一位朋友狄克‧薛弗去了芝加哥參加慕迪聖經學院的年慶，回來以後滔滔不絕談的是一個遠道從紐約去的教會詩班——布魯克林會幕詩班的震撼。當時便不由得心生仰慕，盼望哪一天也有機會親身經歷此種震撼。

　　95年讀到一份報導是關於惠敦學院的一連串復興聚會，學生們從禮拜天晚上的聚會，大家開始一個接一個的上前認罪，整個晚上沒有歇息，直到隔天清晨六點還沒結束，如此持續五天。這樣的浪潮漫延到許多美國的大學校園當中。其中報導提

到整個復興的開始與禱告有切不可分的關係。就在惠敦學院復興聚會開始的前一年,有一位惠敦校友同時亦是學生家長,在惠敦與渴慕復興的學生及教職員一起禱告了整整兩個星期之後,還到紐約布魯克林會幕教會請他們為惠敦學院連續禱告三十天。復興之火終於在惠敦燃起。又一次聽到布魯克林會幕教會,這一次是關於他們的禱告。

95年底的美德雜誌(一份英文基督徒婦女雜誌《*Virtue*》,目前已停刊)的封面人物是布魯克林會幕詩班指揮辛凱蘿(Carol Cymbala),題目寫的是〈當神在普通之外加上一點時〉。文章裡面提到位於紐約市布魯克林區一個毒品與妓女充斥的地區裡的神奇教會——布魯克林會幕教會;這個教會特別的不僅在於他們有六千位以上的會友及十幾個分堂,其特點在於他們有許許多多被奇妙改變的生命以及屢次得到葛拉美獎的詩班與詩歌創作。更神奇的是這個教會是由一位沒有接受過任何神學教育的牧師所帶領的;而且他們那250人、屢次得獎、震撼人的詩班是由只有高中畢業、不會看譜的師母所指揮的。

這倒底是個怎樣的教會?

97年,《*Fresh Wind, Fresh Fire*》問世。這是有關一個教會的血淚史,是神建立祂自己教會的印證,是神應允禱告的見證。布魯克林會幕教會,一個極其困苦的教會,處於一個最令人沮喪的地區,教會裡一堆絕望的人,滿是酗酒者、單親、罪犯的家屬、靠社會救濟金過日子的人,教會外面無家可歸者、

吸毒者、妓女、皮條客四處遊走。正是在這樣的地方，神藉著祂忠心勇敢的僕人——辛牧師夫婦，興起祂的教會，行了無數奇妙的神蹟。神在那裡印證祂是昔在、今在、永在，永遠不變，大有能力，慈愛憐憫的神。

與外子，我們決定親自拜訪布魯克林會幕教會。那是個主日下午，我們開車來到紐約布魯克林區，如書上所述，是一個種族混雜，暴力、毒品、妓女充斥的地區。好不容易停好車，走到樓前，人山人海排隊等著進會堂作禮拜。走到門前，招待親切的告知所有的座位都已滿，正在盡力安排地方，如果實在沒有辦法，請諒解，下次再來。這種有如爭取進入熱門戲院的情形真令我們希奇。

待終於找到一個站位時，聚會已經開始，主任牧師辛牧師已在前面帶領敬拜，他的身後、台上坐著的是250人的詩班。台下眾人沒有詩歌本，沒有投影字幕，卻都能跟著唱。樂隊、詩班與帶領的辛牧師好像是一體似的，轉換之間完全毋須停頓。辛牧師帶著一千五、六百人一起時而讚美、敬拜，時而禱告。眾人神情專注、有人淚流滿面、有人高舉雙手高聲讚美、有人出聲禱告。四周圍甚麼人種都有，我確有一種身處天堂的感覺。

詩班高聲唱起：耶穌基督已復活，祂已作王……哈利路亞……祂已得勝……歌聲雄厚華麗，充滿確信與把握、強烈有力，蘊含著十足的感動力。詩歌風格是一種古典、爵士、黑人靈歌、加勒比海情調的混合。不知怎麼的，當詩班獻唱時，我

竟止不住的流淚。

辛牧師的講道令我想到五零年代的佈道會，他神情溫柔卻又嚴厲的指斥罪、指責人的背逆，強調神的憐憫恩慈，最後是以極其溫柔謙卑、近乎懇求的邀請人悔改、回到神的面前。詩歌響起，衆人紛紛回應邀請，為罪悔改、為重新委身、為心中重擔，到台前禱告。

這不僅是一個敬拜的教會，這更是一個禱告的教會。

原來，布魯克林會幕教會每個禮拜二晚上的禱告會是世界知名的。一個曾經是絕望的教會，因著堅持在神面前呼求祂的名，神使這個教會起死回生，興起這個教會成為絕望者的燈塔，在全世界見證祂的名。

與主日一樣，週二晚上的禱告會雖然是七點鐘開始，卻必須在五點鐘便前往排隊。禱告會包括詩歌敬拜、短短的信息，此外便是禱告。禱告會可以長達數個鐘頭之久，一直延續到深夜。禱告的事項包括從世界各地要求代禱的來函事項；每個人會從招待員手中接到一張卡片，這一張卡片便是一個代禱要求。

這是個神奇的教會，神明顯在他們當中。我想多知道一點關於這個教會，我想多一點認識這位神所重用來建立祂的教會、廣被各宗派、各神學院、各教會邀請演講的牧師。

去年（99年）夏天一個炎熱的午後，按照與辛牧師約定的時間，我去到他的教會與他有一個下午的訪談。

辛牧師的秘書安排我在他陰涼舒適的牧師室與他見面，他

親切的招呼我坐下來。我們很快的便開始談起來。本來準備要很正式的問答方式，卻沒料到我們的談話變得像好友的分享暢談。

當我提出想要多了解布魯克林會幕教會的組織結構時，辛牧師稱他的教會可能是全美國組織最鬆散的教會，他一再謙稱一切都是神自己的作為。他提到教會目前有八位副牧師，以及約二十位拿兵器的人（armourbearers，即等於教會執事）。八位牧師全部出自布魯克林會幕教會。教會沒有選舉或投票；所有的決定由九位牧師無異議通過才做。他提到由於目前會堂已經完全不敷使用，他們在幾個月前決定買下在數條街外，一個有四千個座位的戲院來做會堂。當時，他們全部九位牧師都到那個戲院，然後個人找一個角落安靜禱告，兩個鐘頭以後大家相聚，看神給個人感動如何，若有一個人反對，他們便不打算行動。結果，大家一致覺得神帶領他們買下那個戲院。這是一個教會行事的典型例子。教會儘量協助人專注在幫助靈魂的事上，而不要讓人花太多心思在行政運作上。辛牧師說，結構太僵化便無法讓聖靈自由帶領教會。

我問道，這個教會的七十來個事工包括無家可歸者事工、愛滋病患事工、同性戀事工、單親事工等等高難度事工。他們如何開始，是否由專業者做。他說，我們從不叫人做甚麼，我們只是勉勵他們禱告、參加禱告會，其他的便是聖靈的工作了。所有的事工都是由教會信徒自動發起，只要他們覺得神感動他們、呼召他們去做，他們寫一份簡單的計劃書便開始了。

他們大多數都非專業者，只接受了教會給他們的聖經輔導協談訓練，並訓練他們敏銳於聖靈的帶領；事實證明他們的事工非常的有效果。

當我問起他們的事工成功的原因時，他說：「在這樣一個邪惡勢力猖狂、貧困、混亂、剛硬的地方，第一，需要神的愛，第二，需要神的大能。教導是不夠的，往往教導很多、很正確、也很好，但若沒有愛便無法吸引失喪的靈魂。第二，今天所有的教會，無論是美國教會或中國教會所需要面對的是，我們是否真正相信、倚靠聖靈？在我看來，今天的教會，一邊有許多狂亂、怪異的表現而將之稱為聖靈的表現，而另一方面又有另一邊我稱之為魂墓教會，他們有正統的教義、喜愛聖經，但是卻沒有神的同在、沒有被改變的生命、沒有禱告會、沒有聖靈自由的運行。這兩樣的教會在使徒行傳裡是沒有的。我覺得今天我們的挑戰是如何建立新約的教會，相信聖靈的大能、剛強壯膽的傳福音，常常有聖靈奇妙的事情發生，同時謹慎傳講神的話。因為，目前我們的教會趨向兩極：這一邊只有聖經，另外這一邊卻只強調聖靈。」

辛牧師告訴我他十年前去過台灣，曾經由當地宣教士朋友帶他到廟裡參觀。當人們拿著祭物走過他面前時，他可以清楚感到撒但的勢力。他說，如果撒但的勢力這麼強烈，我們如何勝過呢？只靠誠懇的態度與查經聚會嗎？不夠的！需要神大能的顯明，需要神蹟！需要被改變的生命，需要合聖經教導的醫治，需要神大能的明証。

　　他說：「建立教會沒有一定的公式，處在不同的地方便會有不同的做法。我不會知道今天加州或者亞洲的教會該怎麼做，但是我相信當你禱告求問神時，祂會告訴你、帶領你知道該怎麼做。」

　　牧會的生活雖然常常經歷神奇妙的作為，卻也有灰心失望的時刻。對於軟弱的我，想要放棄的試探是經常需要面對的。神使用《疾風烈火》這本書，安慰我、挑旺我對祂教會的信心。

　　這個榮美的教會皆因他們呼求主，經歷了神的「疾風烈火」。這個教會不只為他們自己的教會禱告，他們為全世界所有的代禱請求禱告。我幾次前往週二晚上的禱告會，每次都請求他們為華人的歸主禱告，他們沒有一次不是迫切懇求、流淚呼求來為華人禱告的。想像一千多位主內弟兄姊妹，他們有著不同膚色——黑人、南美西裔、白人，以及極其少數的黃種人，同聲為華人的得救歸主，聲淚俱下的迫切呼求神的情景。

　　我的禱告是，願神藉著這本書，將禱告的靈賜下在眾華人教會當中，為華人的歸主，迫切祈求。

第一部份

醒覺於大能的應許

一

業餘生手

1972 年那個禮拜天晚上，我正以我那不怎麼修飾的講道掙扎著達到高潮時，不幸的事情發生了。既可笑又可悲。

布魯克林會幕教會，這間位於市中心亞特蘭大大道上的一幢破破爛爛、兩層樓房的悲慘教會，是我岳父哄勸我牧養的。會堂只可容納不到兩百人，我們也並不需要這麼大的容量。低落的天花板、油漆斑剝的牆壁、污穢的窗户，光禿禿滿是裂縫、經年沒有修補的地板。既然沒有錢做這些必要修繕，就更遑論空氣調節這種奢侈設備了。

當我結束講道，進行呼召時，我忠實的妻子凱蘿正奮力彈著風琴，營造點敬拜氣氛，看看那下面十五個左右的聽眾是否回應我的講道要點。有一個人從座位上移到我的左手邊，大約不是出於確信，而是因為疲憊，心裡想著這個年輕傳道人到底還要多久才讓人回家。

喀-喀-拉-喳！

長條椅忽然裂開倒下去，把五個人摔倒在地上。一時之間，哎哼之聲不絕。我那還是嬰孩的寶貝女兒，大概認為這是她教會生活裡最令人興奮的一刻。我停止講道，好讓人們從地上爬起來，重拾起他們失去的尊嚴。我所能做的只是神色緊張地建議他們換一條看起來堅固一點的長條椅坐，好讓我結束聚會。

事實上，這類不幸事件充份描繪了我早期的事奉情形。我不曉得我在做甚麼，我沒上過聖經學院或神學院。我在布魯克林區的一個烏克蘭—波蘭裔的家庭長大，每禮拜天與父母上教堂，但從未曾想過要成為傳道人。

從高中到海軍官校，籃球一直是我的愛好。我在海軍官校第一年時，打破一年級生的得分記錄。後來在那一年，我傷了我的背，不得不離開官校，以全額運動獎學金在羅德島大學繼續大學學業。前面三年我都是最先上場的球員，第四年時任籃球隊長，我們贏得洋基聯盟冠軍，得以參加 NCAA（全國大學運動協會）錦標賽。

我主修社會學。當時我已開始與賀凱蘿（Carol Hutchins）交往，她是我初中、高中時的牧師的女兒。雖然凱蘿沒有受過正式讀譜、作曲的訓練，卻是一位出色的風琴手與鋼琴手。我們在 1969 年 1 月結婚，在布魯克林區的一個公寓定居下來，兩個人都在曼哈頓紛擾的商業世界裡任職。就如同許多新婚夫婦一般，我們並沒有一個長程的目標，只是忙著付帳單、享受週末生活。

　　然而，凱蘿的父親賀克雷牧師（Clair Hutchins）卻不停給我書，引燃我對屬靈事物的渴望。他不只是個當地牧師，他常常旅行世界各地，舉行佈道會，並教導其他的牧師。在美國，他是幾間獨立小教會的非正式監督。1971年初，他便很認真地向我們建議，或許神要我們從事全時間的服事。

　　「在紐華克（Newark, New Jersey）有一間教會需要牧師，」有一天他這樣說。「他們是一群可愛的人。你何不辭掉工作，靠信心跨出去，看神會怎麼做？」

　　「我不夠資格，」我抗議道。「我，做個傳道人？我不曉得怎麼做牧師。」

　　他說：「當神呼召一個人，那才是最重要的。不要讓你自己害怕。」

　　不自覺中，二十好幾，接近三十的年紀，我已經儼然在一個美國最困難的市區，帶領一個清一色黑人的小教會。週間我系統查考神的話，然後在週日我便「練習著」將神的話傳達給人。凱蘿的音樂彌補了我的一些錯誤，人們也慷慨地提供我們一筆適當的薪水。

　　我的父母替我們買房子付了頭期款，我們便搬到紐澤西州。我們便這樣撐過第一年。

雙重責任

有一天我的岳父從他住的佛羅里達州打電話來，要求我們幫個忙，問我是不是能夠去那個他監督的多元種族的布魯克林會

幕教會講四個週日晚上的道？他說那裡最近情況跌到前所未有的谷底。我答應了，卻沒料到這一步將改變我的一生。

我一踏進教會，便覺察到這個教會存在著很大的問題。年輕的牧師已經灰心，幾個人遲緩疑惑地開始聚會，然後才又有幾個人姍姍來遲。敬拜的形式瀕臨混亂，毫無方向、次序。教會的牧師注意到有一個人出現———一個偶爾來教會的訪客，他能以吉他自彈自唱，便請他上來獨唱，這個人似笑非笑的拒絕。

「真的，我是認真的，」牧師乞求道。「我們真的很愛聽你唱歌。」那個人繼續拒絕，情況真令人難堪。最後這位牧師放棄，會眾繼續唱詩。

我也記得在小群會眾中有一個女人，偶而便自己跑上來帶領一段讚美，跳到中間，便中途打斷牧師正在帶領的詩歌。

實在很怪異，但那不是我的問題。反正我只是暫時來幫忙的罷了（竟然會要求我這樣還在練習當中的傳道人來幫忙，從這點就可想見情況有多危急了）。

我講完道便開車回家。

第二個禮拜講道完，牧師對我說的話令我目瞪口呆：「我已經決定辭去牧會，搬離紐約。能否請你告知你岳父一聲？」

我點點頭，沒能說甚麼。那個禮拜當我電告岳父這個消息時，教會是否能繼續下去很快變成一個問題。

幾年前，我岳母遇見幾個女人，她們一直在禱告，求神在布魯克林市區建立一個教會，使人們經歷神的榮耀。這個教會

就是這樣開始的——但現在看起來似乎毫無希望。

當我們討論該怎麼做時，我提到一件他們的牧師告訴我的事情。他說他相當肯定教會的招待員從奉獻盤中偷錢，因為現金一直與人們在奉獻袋上的金額不符。難怪教會的支票户頭不到十元。

我的岳父仍不準備放棄。「我不知道——我不確定神已經結束那裡的工作了，」他說。「那是市區裡需要最大的地帶；讓我們不要太快拋下。」

「克雷，牧師要走了，你想該怎麼辦？」在另外一支電話聽的岳母問道。「我是說兩個禮拜之後……。」

他的聲音忽然明朗起來：「傑米，如果你同時牧養兩個教會如何？就給這個教會一個機會，看情況會不會好轉？」他不是開玩笑，他是説真的。

我不曉得説甚麼才好，有一件事情是我確定的：我沒有任何神奇的辦法，來幫助困窘的布魯克林會幕教會。然而，我岳父的考量是真誠的，於是我便順著這計劃做。

現在，不止以業餘生手的身份牧養一個教會，我是得硬著頭皮享受這加倍的樂趣了。再來的一年我的主日時間表是這樣的：

9：00 a.m.	離開紐澤西的家，獨自開車前往布魯克林。
10：00 a.m.	主持早晨的敬拜。
11：30 a.m.	火速取道曼哈頓經過荷蘭隧道回到紐華克的

教會。此刻凱蘿與人們已經開始進行中午的
敬拜，我接下去講道。

近黃昏時：　帶凱蘿與嬰兒去吃麥當勞，然後趕回布魯克
林主持晚敬拜。

深夜：　　　開車回紐澤西的家，筋疲力盡且經常是沮喪
灰心。

　　流浪漢偶而會在聚會當中晃進布魯克林會幕教會。聚會人
數降到二十人以下，因為有幾個人覺得我太「一板一眼」，決
定到別處去聚會。

　　禮拜天早上沒有凱蘿的幫助特別困難，鋼琴手只會彈一首
詩歌：「我何等愛耶穌」（Oh, How I Love Jesus），我們只好
每個禮拜都唱，有時甚至不只唱一次。其他的詩歌都彈得零落
走調。看起來一點也不像一個有前途的教會。

　　我永遠不會忘記第一個主日奉獻的金額：美金85元。而教
會每月的房屋貸款是美金232元，更不用提水電費或有任何剩
餘給牧師的薪水了。

　　我永遠不會忘記第一個主日奉獻的金額：美金85元。

　　到了月底要繳第一次的貸款時，銀行支票戶頭只有160
元。我們馬上面臨欠繳貸款，不知多久我們就會失去這座樓，
被掃地出門？那個禮拜一是我休息的日子，我記得這樣禱告：

「主，祢一定要幫助我。我們懂得不多，但我至少知道我們一定要繳貸款。」

禮拜二我到教會去。*「也許會有某個人不知從那裏寄些錢來吧，」*我這樣告訴自己。*「就像在喬治慕勒先生與他在英國的孤兒院常發生的情形一般——他只要禱告，就有人或有一封信適時解決他的需要。」*然後，當天的郵件來了——除了帳單與廣告單以外，甚麼也沒有。

我被困住了。我上樓去，坐在我的小書桌前，頭伏在桌上開始哭起來。「神啊，」我一面啜泣著，「我要怎麼辦？我們連貸款都付不起。」當天晚上有週間聚會，我知道只有大約三、四個人會來參加，奉獻金額大概少於十塊錢。我該怎麼度過這個難關？

我呼求主整整一個鐘頭左右。最後，我擦乾眼淚——一個念頭臨到我。*等等！我們除了教會門前的郵箱外，在郵局還有一個信箱。我要過街去看看裡面有甚麼沒有。神當然是要答應我的禱告才是！*

帶著一份新的信心，我走到對街，通過郵局走廊，轉開郵箱小小的門栓，向裡面窺視一下……。

甚麼也沒有。

當我走回陽光下時，卡車隆隆駛過亞特蘭大大道。就是當時有車把我壓扁，我也不會更扁了。神離棄我了嗎？我做了甚麼神不喜悅的事嗎？我踽踽走過馬路回到小小的樓房。

當我開鎖進門時，另一件令我驚奇的事發生了。就在進門

大廳的地板上，有一個東西是三分鐘前不在那裡的：一個簡單的白色信封。沒有住址，沒有郵票——都沒有。只是一個白色信封。

我雙手顫抖的打開信封，發現……**兩張 50 元鈔票**。

我開始一個人在空教堂裡喊叫：「神，祢過關了！祢過關了！」我們銀行有 160 元，再加上這 100 元我們便能付貸款。我從心深處呼叫「哈利路亞！」對於一個灰心喪志的年輕牧師而言，這真是一份重要的功課！

一直到今天我都不知道那筆錢是從那裡來的。我只知道那是一個記號——神靠近我們，並且祂是信實的。

崩潰

這種瘋狂的日子當然把我們都累倒了。凱蘿和我很快瞭解：我們必須抽籤決定，到底要在這兩個教會其中的那一間牧會。很奇怪的，我們都開始覺得被布魯克林所吸引，雖然我們僅有的薪水是來自紐華克的教會。　神明顯地把同樣的負擔放在我們兩人心裡，使我們的心不管是好是歹，都能一起委身於羽毛未豐的布魯克林會幕教會。我們好似知道那裡是我們的歸屬。

我們兩人都很快的找了第二份工作——她在學校的餐廳工作，我則去擔任初中籃球教練。我們沒有健康保險；只能勉強讓桌上有食物，讓汽車有油。

我不知道這是否是事奉當中的正常經驗，我沒有從聖經學院或神學院來的觀念、想法去判斷，因為我從未上過聖經學院

或神學院。我們只是完全憑自己跌跌撞撞當中去摸索；甚至凱蘿的父親也沒有給我們許多意見與看法，我猜想他大概以為我從實戰經驗中會有更多的學習。他常常告訴我說：「傑米，你必須靠神幫助你，找出你自己的方式來服事人。」

教會早期的主日晚上，我眼所見的常令我沮喪，而我靈裏所感覺的更令我灰心──到一個地步我實在無法講道，才講道五分鐘我已經哽咽無法出聲，眼淚充滿我的雙眼，憂傷環繞我。我所能說的就是：「很抱歉……我……我在這樣的氣氛下無法講道……情況實在很不對勁……我不知道要說甚麼──我無法繼續……凱蘿妳能不能彈點甚麼，你們其他的人能不能到壇前來？如果我們沒有看到神幫助我們，我不知道……」我就這樣停下來，實在令人羞赧，但除此以外我無法做甚麼。

人們就照我說的做。我靠著講台，臉埋在雙手，啜泣。剛開始時情況還很安靜，但很快神的靈臨到我們。人們開始呼求主，他們的內心被攪動發出言語：「神啊，幫助我們，」我們這樣禱告。凱蘿彈著老聖詩「主我需要你」，然後我們跟著唱。一陣代禱的浪潮漲起。

突然，一個年輕的招待跑下中間的甬道，把自己拋在壇前，開始一面禱告一面哭。

當我將我的手放在他的肩膀上，他抬頭向上看，淚從他的臉頰湧流下來，他說：「對不起！我很對不起！我不會再這樣做了！請赦免我。」我立刻瞭解他是為偷竊奉獻盤上的錢求赦免。我站在那裡，好一陣子說不出話來，我被他這意外的認罪

弄得不知所措。

那是我們第一次的屬靈突破。我不再需要扮演偵探，面對嫌犯的不當行為，迫他承認了。就在這個晚上，一個禱告的時辰，第一個大問題（在幾千個問題當中）解決了。

那個晚上，當我在我的最低潮，困在許多阻難當中，環繞我們的黑暗令我不知所措，甚至無法繼續講道時，我發現一個令人吃驚的真理：神被軟弱的人所吸引。祂無法抗拒那些謙卑、誠實，承認非常需要祂的人。我們的軟弱事實上使祂的大能有施展的空間。

我發現一個令人吃驚的真理：神被軟弱的人所吸引。
祂無法抗拒那些謙卑、誠實，承認非常需要祂的人。

另一方面，人們也不至於因我的誠實而受阻撓。我不需要保持一副牧師的尊嚴。我可以自由的傳講我所最熟知的神的話，然後便呼召會眾禱告並敬拜；從那裡主便接手。

我真是珍惜那些早期令人臉紅謙卑的經驗，那些經驗讓我看到我不需要扮演一個傳道人。耶穌呼召的是漁夫，而不是拉比學校的畢業生。這最主要的條件是這樣的自然與誠懇。祂的門徒必須完全仰賴主以及祂的能力。同樣的，我必須停止嘗試扮演牧職——不管這意謂甚麼。神只能照辛傑米的本像來使用辛傑米。當我學著信靠神使用我的本性，對我來說真是一個偉大的突破。神一直都瞧不起虛偽裝假，尤其是在講壇上。每當

我一開始試著裝模作樣來製造效果，神的靈便傷慟。

我所能做的便是更認真的研讀。我開始建立自己的聖經圖書室，花上許多時間挖掘神的話語。但是明顯地，我絕不可能成為另一個約翰衛斯理（John Wesley）或坎布爾‧摩根（G. Campbell Morgan）。我必須找出我自己的風格，保有一個開放的心，仰賴神。

瀕臨危機

每一週似乎都帶來新的挑戰。暖氣系統的燃燒爐燒壞了，必須花 500 美元修理。不幸的是，我作一個狂熱的勸募者，努力集資的結果也只得 150 元。我實在非常想辭職不幹了。我告訴自己：*我不是做這個的料，我沒有牧會的才能，我沒有一付牧者的好嗓音，我不擅長演說，我看起來太年輕，我實在已經很疲倦了⋯⋯。*

凱蘿與我兩人都不知道能求助於誰。我父母住在布魯克林的另一邊，我父親那時正掙扎於酗酒當中，而我母親已在這掙扎當中耗盡精力了，所以我們無法依賴她得到任何鼓勵。

凱蘿的一個朋友的母親聽到我們的事情，便在一個禮拜天來看我們。她沒有說甚麼，但是我們可以猜出她在想甚麼：*你們這樣一對年輕佳偶在這裡幹甚麼？*要不了多久我們便發現，在城市另一邊的中產階層白人基督徒，對我們這個教會並不以為然。

一些我們所接手的會友與這個教會格格不入，固執於他們

自己既定的教會形式，以至於我不得不開始禱告求主讓他們離開。有一個人告訴我他也是受按立的，應該准他在禮拜天晚上講道。我觀察他的屬靈生活，卻正與他所宣稱的背道而馳。

面對這樣的問題實在困難，因為我們實在無法承擔失去會友。但是如果這些會友留下來，其結果則會是繼續的不和諧——而我心知這樣亂七八糟的情況，主是絕對不會賜下我們所最需要的屬靈大能的。於是，這些人便一個一個的離開了。曾經有幾次，我甚至必須對某些會友提出建議，請他們考慮去別的教會，以此來幫助我的禱告蒙應允。我學到在牧會工作中，也像打籃球，有時是需要面對衝突的。

漸漸地，儘管有這些缺陷，我們的會眾不再是二十人，而是四十人、四十五人。財務上仍是起起伏伏。有時朋友們會在我們家的門階放幾袋雜貨食品，我們為這些幫助心存感激。我們在布魯克林的第一年共收薪水 3,800 元（當時跟我們一般大小的美國家庭平均收入是 14,000 元！）。第二年我們一路升到 5,200 元。

許多個寒冷的禮拜六晚上，我都會想：隔天早上的敬拜人數因為下雪的關係大概會很少——我們大部份的會友沒有能力擁有汽車，而這便意味著奉獻將更少了。每當這樣的時刻，我就懷疑我如何能面對另一個禮拜天。我甚至希望奇蹟發生，讓明天早上太陽不會升起。

凱蘿開始了一個小詩班，總共只有九個人，但是問題接著就來了。詩班才開始在聚會中唱詩，其中一個女孩便婚前懷

孕。在小教會裡，每一個人都會注意到每一件事；每個人都會*談論*每件事。

在我們開始禮拜天晚上圍繞在講壇前禱告，當人們開始養成呼求主的習慣之後，我們的聚會人數爬升到五十或六十。但是我知道神要做比這更大更多的事——只要我們提供祂能作工的好土，祂便能做到。我實在已經厭倦了我自小看慣了的逃避心態——總是在那裡為神很久以前在奮興會所做的歸榮耀給神，或是熱切的預言「神即將來臨的大作為」。而事實是，全市或全國各地無數的教會，一年只有不到一百個真正悔改認罪的人受洗，大部份甚至幾年下來也沒有。任何成長都是來自從別的教會轉來的人。紐約市是宣教硬土，但是轉會籍的成長絕不是神的心意。

我們真正需要的其實是一陣疾風烈火。我們需要聖靈使我們周遭絕望的生命蛻變。酒精與海洛因充斥整個社區；迷幻藥也是一個問題，古柯鹼更是惡氣高漲，在教會的三條街以內的幾個街角，正是賣淫業充斥之處。明顯的是一個墮落的市區。任何人只要經濟情況許可，都迫不及待的想*搬離*這個地區。

我只要想到我的生命隨著時間消逝，而沒來得及見到神在我們中間彰顯祂的大能，就覺得灰心。凱蘿與我都不甘願只是打發時間過日子，我們渴望並且呼求神改變每一件事——我、教會、我們對人們的愛、我們的禱告。

> 我只要想到我的生命隨著時間消逝，
> 而沒來得及見到神在我們中間彰顯祂的大能，
> 就覺得灰心失望。

有一天我對主說，我情願死也不要隨意草草涉過事奉的人生——一直傳講主的話充滿能力、聖靈的大能，卻從未見過，也未經歷過，只是更多的聚會，這種想法叫我厭惡。我渴求神在我們的生命以及事奉上有一個突破。

應許

大約在那段時間，我開始持續咳嗽，一直不見好。就這樣咳了六個禮拜，咳到一個地步，凱蘿幾乎無法睡覺。每天都咳痰不止。我的岳父母開始為我擔心，於是替我買機票，讓我飛到他們靠近佛羅里達州的聖彼得堡的家，去休息並享受溫暖的陽光，希望對我的咳嗽痊癒有幫助。我滿心感激的接受這個提議。唯一的壞處是必須離開凱蘿與兩歲的克麗西。

有一天，我與二、三十個遊客一起參加一個坐船出海釣魚的活動。藍色的天空，墨西哥灣溫暖的海水拍打著沙灘，一切都令人覺得撫慰。海鷗聒聒地從頭上飛過，陽光令我滯悶的胸口感覺好得多。

當我們往水深之處前進時，人們都笑談著希望那個下午能有所捕獲。我手裡也握著魚竿，但我的心卻不在釣魚。我移到

船尾，離開人群，望著遠處的海平線。

我開始奮力沉思許多我所聽過或讀到的關於教會增長的想法與策略。一位基督徒領袖曾對我說：「放棄制度化公會型的**教會建築**吧，今天的教會是家庭教會的型態，你乾脆賣掉建築物好了。神正在行一件新事。」

離我們幾條街外的一間曾經很大、頗有歷史的浸信會，花費巨額投資許多大型巴士，試著載送大量的兒童來教會。其唯一的結果是高額的保險費、長期的混亂，以及一間毫無改變的教會。

我曾經參加一些較大的教會，似乎都靠邀請一些當時的名講員以及名歌唱家。這樣做似乎能幫助教會的「市場行銷」——至少能吸引其他的基督徒。就如同一位牧師笑著告訴我的：「我不從別的教會『偷羊』，只喜歡把教會的門大開。」

最令人羞赧的一個事實是，
有時候甚至我都不想出現在聚會當中
——事情就是糟到這種地步。

不管這些是否是正確有效的方法，反正這些都需要錢，所以也就算了——沒有人會願意為一點微不足道的謝禮來到布魯克林市區的。再說，凱蘿和我都彼此坦白承認：除非神有所突破，布魯克林會幕教會是完了。我們已經技窮；我們無法以組織、行銷、節目等等找出一條出路。最令人羞赧的一個事實

是，有時候甚至*我*都不想出現在聚會當中——事情就是糟到這種地步。

除非聖靈親自造訪，否則我們是輸定了。

「主，我不知道怎麼作一個成功的牧者，」我就在水上輕輕地向神禱告。「我未曾受訓練。我所知道的就是凱蘿與我在紐約市中心奮力作工，旁邊滿是瀕臨死亡的人——因為海洛因過量，被物質主義所耗盡，以及種種原因。如果福音真是大能的……」

我無法把話說完，眼淚使我哽咽。好在，船上其他的人都離我甚遠，正專心的研究他們在藍綠色水中的釣線，沒有人注意到我。

就在當時，不是我的耳朵聽到，乃是在我靈裡深處，我感到安靜的、但卻是堅實有力的話語。我意識到神在對我說話。

如果你和你的妻子帶領我的百姓禱告呼求我的名，你就永遠不缺乏新鮮的信息傳講。我會供應教會以及你的家庭金錢上的需要，而你也將永遠不會有夠大的建築物，足以容納我將要送來的人潮。

我無法抑制，眼淚不住的流。抬頭望一下其他的乘客，還是專注的釣他們的魚，沒有人注意我這個方向。

我知道我聽到神的聲音，雖然我並沒有經歷一些奇怪的異象，也沒有甚麼感性的或特別的地方。神只是針對我們的——或是任何人的情況，來回答個人。祂對我說的話是建基於聖經上無數的應許上；這乃是教會歷史上每一次聖靈復興教會的要

素。

就是這個真理造就出查理芬尼（Charles G. Finney）、慕迪（Dwight L. Moody）、辛普森（A. B. Simpson），以及其他許多被神大大使用的男女。這是我本來就知道的，但是神現在把我抽出來，拉我到一個真實地經歷祂以及祂的大能的境地。祂在告訴我，當我帶領我們這小小的一群會眾禱告呼求祂時，祂要滿足我對祂以及祂改變的大能的饑渴。

那天下午，當船停靠船塢時，我感到一種美妙的平靜。幾天以後我飛回紐約，仍舊是那個年輕牧師，但是所有那些關於教會增長的現代趨勢與新觀念都變得不相干了。神已經應允要以超然的幫助來回應我們的哭求。在這樣一個無情的世界，嘗試奪取那不可能的，我們不再孤單。神同在，祂要為我們行事。

一種神聖的興奮臨到我，我真的開始期待在亞特蘭大大道上的禮拜天早晨的來臨。

二

著火

「辛牧師，歡迎你回來，」那天早上人們見到我時向我打招呼。「在佛羅里達休息得如何？咳嗽好些了嗎？」

我告訴他們我咳嗽好多了，但是在我心裡真是迫不及待要告訴他們遠比這個更重要的事情。聚會一開始我便說：「弟兄姊妹，我真的覺得我已經從神聽到關於我們教會的將來。我不在的這段時間，我呼求神來幫助我們——幫助我——讓我們知道祂到底要我們怎樣。我相信我已經聽到答案。

這個答案既不新奇也不深奧，更不引人驚異。但我今天要以最嚴肅的態度來向大家傳達：*從今天起，禱告會將是我們教會的溫度計。我們將從禮拜二晚上所發生的一切，來衡量我們到底會成功或是失敗，因為那將是神祝福我們與否的根據。*

如果我們呼求主，祂在祂的話語上已經應允我們：祂要將未得救的人帶來歸祂自己，將祂的靈澆灌在我們中間。如果我們不呼求主，祂便不應允甚麼——甚麼都沒有。就是這麼簡

單。不管我傳講甚麼，或宣稱我們的頭腦信甚麼，我們的將來就看我們的禱告時刻。

這是駕駛我們教會前進的引擎。我當然要你們禮拜天早上來聚會——但是禮拜二晚上才是最緊要的關頭。凱蘿和我已經決定這樣做，希望你們也會與我們一起來。」

一個從澳洲（或是紐西蘭）來的傳道人那天早上剛好在場——太少有的巧合。我介紹了他之後，請他說幾句話。他走到前面，只作了一點評論：

「我聽到你們的牧師說的，我在此要請你們思想一下：

人們能夠從誰來參加禮拜天早上的聚會，看出這個教會有多受歡迎。

人們可以從誰來參加禮拜天晚上的聚會，看出這個牧師或佈道家有多受歡迎。

但是人們卻能從誰來參加禱告會，看出耶穌有多受歡迎。」

說完這些話，他便步下講台。從此我便不曾再見過他。

新的開始

如果我的宣佈對於會眾來說似乎有些怪異、太沉重，那麼想想英國最偉大的講道家司布真（Charles Haddon Spurgeon）整整一百年前在他的講道當中說的，就會發現並無甚差異：

教會的情況可以很準確的藉由禱告會來衡量。禱告會是一

個恩典計，從當中我們可以判斷出神在人們中間工作的多寡。如果神離教會很近，那麼教會一定禱告。如果神不在那裡，其中最明顯的證據就是不冷不熱的禱告。(註1)

第一個禮拜二晚上，十五到十八個人出現。我沒有預定的程序，只是站起來帶領人唱詩讚美神。然後便是長時間的禱告。我感到一種新的合一與愛在我們中間，神似乎要把我們織在一起。我沒有照例傳講信息，有一種嶄新的自由，等候神的臨在。

接下來的幾個禮拜，禱告而來的應允非常明顯。新的人漸漸加入我們，帶著能夠幫助我們的各種才幹、技術。還未得救的親戚以及完全陌生的人開始出現。我們開始把自己當作「聖靈急診室」，靈裡受傷的人可以在這裡得到拯救。在醫院裡，急診室往往不像醫院其他的地方裝飾的那麼漂亮，但是在救人上卻非常有效率。

我們開始把自己當作「聖靈急診室」，
靈裡受傷的人可以在這裡得到拯救。

我們正如偉大的蘇格蘭敬虔作家伯納（Andrew Bonar）在1953年所寫的：「神喜愛祂的百姓完全斷了出路，以至於除了禱告以外別無希望。就在此時，教會產生出能夠抵擋全世界的能力。」(註2)

因此一週復一週，我繼續不斷的鼓勵人們禱告。當然，正如查維克（Samuel Chadwick）在很久以前所說的：禱告最大的應允就是更多的禱告。

我們並不是在那裡聽彼此滔滔不絕、雄偉美麗的禱告；我們太渴切了，我們是垂直向上的專注在神身上，而非平行式的彼此禱告。大部份的時間我們是合成一群的呼求主，每個人都大聲的同聲禱告，一直到今天我們還是這樣禱告。有些時候我們手牽手站成圓圈禱告，或不同的人提出特別的負擔。

禱告會的形式比起它的要素——觸摸那位全能者、以整個靈魂體來呼求神，實在變得無關緊要。我曾經參加過非常吵雜的禱告會，其實只是一場表演秀。我也曾經與一些團體在一種非常安靜當中禱告，卻是深刻屬靈。禱告會的氣氛可能不同，最重要的是我們與創造宇宙萬物的神有所接觸，而不是只與人彼此接觸。

禮拜天早上的聚會，我也開始放鬆下來，不再緊緊的抓住麥克風來控制他們。當神開始使我釋放，聚會照例的形式——兩首歌，然後宣佈、詩班特別音樂、奉獻、講道，最後祝福——這套形式便開始被擺到一邊去。我不再需要那麼緊張嚴肅——或做作。以前這樣做，只是因為出於害怕而保護自己。

畢竟人們並非饑渴於新奇華麗的講道，或是精良的教會組織。他們要的是愛。他們需要知道神可以將他們扶起來，並且給他們第二次的機會。

人們並非饑渴於新奇華麗的講道，或是精良的教會組織。
他們要的是愛。

當早期教會還在亞特蘭大大道的那段日子，當人們開始與
神親近、被聖靈充滿、重燃他們對神起初的愛時，他們自然會
在工作時、在公寓裡、在家庭中與人談到這些事。很快的，他
們開始帶新的人來教會。

從那天直到二十幾年之後的今天，感謝神，教會從來不曾衰
退過。靠著祂的恩典，我們從來沒有結黨分裂的事。神繼續不斷
的送來需要幫助的人；我往往不懂他們是怎麼知道我們的。

奉獻改善到一個地步，我們開始可以修理教堂建築。我們
把傾斜倒塌的長條椅，換成可以鎖定的玻璃纖維的椅子。更重
要的是，人們開始在這個卑微的地方感覺到主的臨在，他們感
到被愛。剛硬的人們在唱歌時便開始哭泣；詩班開始成長。

歡呼之聲

凱蘿從青少年時期便喜愛音樂，這對她是理所當然的——
她的父親在信主以前是歌劇演唱家，她的祖母是位鋼琴家。

在城市裡長大，意味著她有機會吸取多種文化的聲音。在
她的腦子裡，古典音樂混合著黑人福音音樂，傳統斯堪地那維
亞聖詩裡包含著現代敬拜合唱與加勒比旋律。在她不過十六、
七歲時，心中便開始夢想有一天要指揮一個大詩班——不是一

個僵硬、正式的詩班,而是一個平凡人的詩班。

　　凱蘿在教會裡無法找到一個能勝任的伴奏,所以她必須一面彈鋼琴一面帶詩班。她不會讀譜,因此她在腦袋裡想好歌,然後反覆教那群人,直到背起來為止。就是如此,詩班成員仍繼續不斷的增加到五十人左右。講台幾乎無法容納,他們只好就站在前面唱,歌聲震動小小的教堂。

　　詩班練習在禮拜五晚上。讀者們可能會覺得驚訝,週末練習必須與其他週末的節目競爭。但都會人的時間表是不同於其他地方的,週間晚上人們往往因為趕火車、巴士、地鐵的通勤與工作,而覺得疲於奔命;禮拜五晚上,人們因為隔天不需趕早反而能放鬆精神。

　　凱蘿總是以三十分鐘的禱告來開始,往往靈裡的敬拜便臨到他們中間。也許某個人會志願做見證,或覺得有感動想要唸一段聖經;凱蘿可能會有一段短短的勸勉。許多晚上,禱告與敬拜往往多於練習,有時詩班甚至根本連一個音也沒唱。

　　這樣的經驗將人們的心思置於完全不同的情境當中。詩班不再只是在講道之前突然來的兩首特別音樂,乃是每一位詩班團員投入全面的事奉當中。

　　樂隊團員與凱蘿同樣未經訓練。費求義（Joe Vazquez）是低音吉他手,他是「在職訓練」學會彈低音吉他的。求義有一天在朋友家隨意撥弄著低音吉他的琴弦玩,隔天晚上詩班練習時,他的朋友開玩笑的說求義會彈低音吉他,凱蘿以為是真的,就把求義放到樂隊裡去了,這就是求義低音吉他手生涯的

開始。今天他還在我們教會。

我們的鼓手牙麥克（Michael Archibald）來自千里達，也同樣的從來沒上過打擊樂器的課。伍約拿單（Jonathan Woodby）是我們的風琴手（我們認為他是全美國最好的風琴手之一），他根本不會看譜。然而，他們兩人卻曾經在兩張得葛拉美獎的唱片中演奏。

當我們開始為「少年挑戰團」主持每個月的佈道奮興會時，詩班扮演了一個很重要的角色。「少年挑戰團」是1958年魏大衛（David Wilkerson）在布魯克林為毒癮者以及幫派成員設立的一個事工組織。我們與「少年挑戰團」一起合租了一間浸信教會。第一次的聚會，我們放映了「十字架與彈簧刀」這部片子，其中講述了惡名昭彰的幫派頭目尼基古茲信主的經過。來的人多到我們那晚必須連放三次，才能讓每個人都有機會看。

第二次的聚會，尼基親臨現場講話。多年前，若非警察及時干預，他曾經在那個建築物裡，幾乎殺死一個義大利人。奇妙的是，現在尼基竟然在同一個地方講道。

尼基的故事對我是一個重要的啟發。他成為我們教會的象徵：神使毫無希望、甚至瘋狂的人改變。我知道很多教會以嘴唇敬拜神，述說神凡事都能。但是我們需要真正的信心，好叫任何人進來，不管他們的問題是甚麼，都能成為神恩典的冠冕。從那天晚上起，尼基成為我的好友，也成為布魯克林會幕教會的常客。

　　由於越來越多的教會參與「少年挑戰團」的服事，凱蘿便組成一個多元種族的「紐約挑戰詩班」，由布魯克林會幕教會詩班加上任何想一起唱歌的人，總共約八十多人。

　　大約就在這個時候，凱蘿寫了她的第一首歌。她將聖誕詩歌「普天同慶」（Joy to the World）改編了新的曲調。她不知道怎樣寫譜，所以便只能一句一句的教給詩班。

一個愛與禱告的群體

在布魯克林會幕教會，我們從來不知道誰可能會信耶穌。那裡充滿一堆人渣、妓女、同性戀者。同時也有失落的律師、生意人、公車司機轉向神接受主。我們全都歡迎。

　　此外，我們有各種人種——拉丁人、非洲人、美洲人、加勒比美洲人、白人，只要你說得出來的我們都有。一旦被聖靈點燃，人們便開始看到別的種族是神的創造。我們沒有責罵同性戀，而是開始為他們哀哭。人們開始開三、四十分鐘的車從長島來。我們教會的優勢——可能也是唯一的好處，便是我們位於布魯克林市中心，所有的交通運輸系統齊全，人們可以從曼哈頓、皇后區、布朗區搭地鐵、巴士、火車抵達。當我們禮拜天早上的人數增長到150、175人時，禱告會的人數也增長到100人。聚會充滿生命、喜樂、家的感覺與豐沛的愛。當聚會結束，人們也不急著離開，他們流連在那裡禱告、交通。

　　當時我們沒有冷氣，所以夏天燠熱的晚上，我們便將所有的窗戶打開，有的人甚至坐在窗台上。有一個八月的晚上，室

外溫度大概是華氏90度，室內大約是華氏100度。我印象特別深刻的是，當夜我領大家唱「平安夜」表達我們對主耶穌的愛。一個醉漢從禮拜堂經過，停下來聽。他混淆不清的腦子對自己說：*我的酗酒問題真是嚴重到失控了！我竟然會聽到聖誕歌曲。我還是進教堂請求幫助吧！*招待員便當場幫助他、服事牧養他。

一些心智失常的也一樣隨時來得幫助。一個新近從療養院出來的人，名叫奧斯丁，開始來教會。有一個禮拜天早上，他對一位教會的女士講了一些下流話。當我禮拜二打電話給他，警告他不准這樣做時，他說：「喔，是嗎？我會叫我的『兒子』來收拾你的。」他塊頭很大，所以我沒有笑。

我回道：「奧斯丁，你可能想收拾我，但不是用你『兒子』；事實上你的舉動令我很懷疑你會有『兒子』。」

我要招待員們提高警覺，如果奧斯丁出現的話立刻叫我，然後報警。當天晚上奧斯丁果然回來了。 我離開禱告會到外面與他談話，一面拖延時間。很快的警察衝進門來，把他帶走。警察要我提出告訴，但我拒絕了，只是回去繼續參加禱告會。像這樣希奇古怪的事情，是在這裡牧會的家常便飯。

由於我曾經是籃球員，所以我從來不曾以膚色來評估一個人。如果你能打球，你就是能打球。在美國，運動場上似乎比基督耶穌的教會心胸更開放、更接納人，也更有團隊精神。

我們的奉獻金額，就如所預料的，一直不多。在這樣的社區牧會，滿是單親媽媽、領社會救濟金的、掙扎於戒毒之間的人。但同時一些定居此地、生活穩定、不在乎與不同社會階層混雜的人也會來。

由於我曾經是籃球員，所以我從來不曾以膚色來評估一個人。如果你能打球，你就是能打球。在美國，運動場上似乎比基督耶穌的教會心胸更開放、更接納人，也更有團隊精神。

場地問題

到 1977 年，教會的場地已經容納不下禮拜天早上與晚上聚會的人群了。就在同一條街上，有一個女青年會的大廳，可以容納 400 到 500 人，我們可以在禮拜天租用。於是每個禮拜天，我們便將音響器材及其他設備搬過去。由於它所有的窗戶都被密封，裡面又沒有空調，我們往往要在禮拜天早上清掃乾淨，才能排椅子。

但是至少我們有地方可以使用。我們租用女青年會兩年之久。對於我們較小的兩個小孩，蘇珊與雅各，最早的教會印象便是在那個教會。我還記得一個主日早晨，正唱歌讚美時，抬頭一看，我心頭一驚——我那個還未上學的女兒，正 360 度倒掛在大廳的扶手邊緣。好一個「完美的牧師的小孩」！

有一次，知名的福音歌手及作曲者伍嵐尼（Lanny Wolfe）來參觀我們的敬拜，他被我們那一百人的詩班迷倒，鼓勵凱蘿繼續寫歌。他說：「妳有一種與眾不同的震撼感，妳寫的歌與

我的或與蓋比爾（Bill Gaither）的或任何人的都不同。」嵐尼的鼓勵對我們意義重大。

自那時起，凱蘿的音樂不諱言地已橫掃整個美國，並且被各種不同的教會、各種不同型態的敬拜方式使用。當布魯克林會幕教會的歌譜銷售達到一百萬份時，真道音樂（Word Music）在1994年頒給凱蘿一個獎。最諷刺的是，布魯克林會幕教會自己連一份譜都沒買——因為整個詩班沒有人會看譜，買了也沒用。

在女青年會聚會，是解決擁擠的暫時性權宜之計。當時我們已在對街買了一塊土地，希望有一天能建一間禮拜堂。這一步需要憑信心跨越，但神供應了金錢。

我們訂了破土典禮的日期，對於即將建立新的禮拜堂，一個永久性的家，覺得很興奮。但是你相信嗎？就在那個特別的禮拜天，竟然下起大雨來，雨大到無法去屋外鏟一把泥土。當天晚上我們只好失望的回到女青年會聚會。

就在那天晚上的聚會，神清楚的對我們說話，告訴我們祂並不要在對街的那塊土地上破土動工，祂乃是要破碎我們的心，然後以此為地基來建立祂的教會。

那場大雨結果竟是神的美意。幾個月之後，位於布魯克林南北大動脈的主要道路——富來佈雪大道上一間有 1,400 個座位的大戲院，竟然只開價 15 萬美金出售。

於是我們賣掉那塊土地，稍賺了一點錢。此外我們還需要賣掉亞特蘭大大道上的這幢破落的建築，才夠買下戲院。有一

些牧師來看了我們的老地方，也顯得很有意思要買。我們談妥了價錢，後來才發現他們根本沒有嘗試申請貸款。到那時候我們已經很危急，很可能失去買戲院的機會了。

我們的夢想幾乎要碎了。一個禮拜二晚上的禱告會，我們把這個問題放在神的面前，哭求神最後一刻伸手拯救。

禮拜三下午，教會的門鈴響起，我去應門。門口站著一位穿戴整齊的陌生人，原來是一位科威特的生意人。他走進來，四處觀看。當我屏著氣，希望他對歪歪斜斜的牆壁、骯髒的洗手間、有問題的鉛管不要看得太仔細。地下室的屋頂這麼低，我真怕他的頭撞到懸掛在頂上的鉛管。

「你要價多少？」最後他說。

我清一清喉嚨，小聲的說：「九萬五。」

他停了一下，然後說：「這價錢算公道。」

我傻了！

他繼續說道：「我們這就成交。」

「嗯，喔，你銀行的手續需要多久？」我心裡還在著急：富來佈雪大道上的戲院，可能等不及我們這邊的交易完成。

「不需要銀行，甚麼都不要，」他立刻答道。「只要叫你的律師打電話給我的律師——這裡是他的名字與電話號碼。我們現金交易。」說完他就走了。

又一次，我們的禱告以令人驚異的方式蒙應允。

神召集了一群願意禱告的人，他們相信沒有任何事情大到神無法處理。無論我們面對甚麼路障，無論甚麼攻擊臨到我

們，不管七零年代末期城市變得多混亂——海洛因、古柯鹼，神仍然能夠改變人，救人脫離凶惡。祂在混亂凶暴的社區建立祂的教會。只要人們呼求祂的幫助與恩典，祂必然回應。

三

絲

絕望者之歌

雖然富來佈雪大道上的戲院對我們來說極其珍貴，卻是殘破不堪。1979年1月，在我們花了25萬美金修繕後，才得以搬進去。從此之後，事情有了屬靈的轉機。

在我們搬到富來佈雪大道之後不到一年，一個與曼哈頓錄音室有關係的人，建議我們的詩班製作一套自用的低成本唱片。1980年我們錄製了第一張唱片，十首歌裡有三、四首凱蘿作的歌。

不知怎的，唱片竟傳到那許維爾（譯註：Nashville是美國的流行音樂城），音樂公司開始與我們接觸。真道公司將我們的唱片重新包裝，向全美推展；他們很快的要我們再製作兩張唱片。詩班開始與所有頂尖的歌手、指揮合作，包括賀朗尼（Larnelle Harris）、梅寶貝（Babbie Mason）、華維恩（Wayne Watson）、西岸讚美團（West Coast Praise），以及著名的敬拜領導人喬模理（Morris Chapman）。

禮拜天往往因著詩班的演唱與見證帶給人們讚美的恩膏，將整個聚會的方向都改變。有一次詩班本來計劃唱三首歌，當要唱第二首前，先由一位曾是毒癮者作見證。當這首歌即將結束時，我感到神慈愛的能力，就在那一刻，我禁不住走上去，將我的手臂圍繞在這個人身上，開始邀請人接受基督。即刻，我們得到非常強烈的回應。

那天，詩班根本沒得機會唱第三首歌，人們已經願意接受主了，我們又何必堅持原有的聚會程序呢？如果神要的話，祂可以使用詩班或是任何人將整個禮拜變成禱告會。

「死」裡復生

在那些日子裡，最初是藉著詩班，同時也藉著禮拜二的禱告會，主觸摸了許多人的生命。其中最特出的是一位身裁苗條、紅頭髮的年輕女孩，名叫做藍菊蘿（Roberta Langella）。她的故事真是奇妙，我讓她自己在這裡述說：

●

我生在布魯克林，在史得頓島長大，在六個孩子中排行第四。我父親是一位碼頭工人，他供給我們兄弟姊妹不錯的生活與天主教的教育，能活在這樣穩定慈愛的家讓我感到很快樂。

但是當我十一歲時，這個家的「輪子」掉了。突然，我們搬到佛羅里達州母親娘家附近，問題是爸爸並沒有跟我們一起搬來。我竟然沒有覺察出：我父母之間緊張的關係，已經使他們的婚姻破裂了。

　　我實在無法相信所發生的事——我們的家庭一向緊密結合。如果你無法信賴大人會做正確的事，那人生還能指望什麼？我被擊碎了。

　　在一兩年之間，我開始藉喝酒、吸毒來表達我的不快樂。我母親再婚，我的情形變得更壞；我們一天到晚吵架。十六歲時我回到紐約與父親同住一年。情形沒有變好；我輟學，自己一個人縱橫周遊全國各處。

　　一年之後，我回到紐約，與一個大我兩倍年紀的男人同居。我只是想要一個人——甚麼人都好——來愛我、照顧我。不幸地，這個人是一個注射毒品的人；沒過多久我們兩個便都吃古柯鹼、海洛因。我曾用藥過度好幾次。

　　1980 年一個可怕的晚上，我注射過量以至於心臟停止跳動。我的男友怕我要是死了，他必須被拘留審問，便棄我而去。我被遺棄在屋頂上，全身發紫……。因著神的恩典，有人發現我，為我打電話給 911 緊急專線，救護人員把我救活過來。

　　我覺得自己很糟，覺得沒有人會認為我有甚麼價值。因著這樣的想法，我接二連三地和不同的男人建立毀滅性的關係。1982 年左右，我當時的男友與我一起租了一個在二樓的公寓，一樓是花店，隔壁便是布魯克林會幕教會。當然，我們對於隔壁發生些甚麼事情沒甚麼興趣。

　　我的男友虐待成性，他經常揍我，有一次把我打到我的耳鼓破裂；但是每次我都求他不要離開我。情況實在很悲慘！但

是比被打、被恨更可怕的事是被離棄。那是我無法忍受的。

我記得一個禮拜天下午，當我痛楚不堪時，我威脅他，對他說：「我要自殺。」他懶散地躺在沙發椅上看足球賽，頭連抬也不抬的說：「我正在看 Jets，等中場休息再跟我說話。」他一點也不關心。

我仍然勉強的維持下去，在一個夜總會作調酒師。我完全是80年代典型的龐克特徵——一付「死像」，經常整個月不梳頭。

我記得我常常參加「靶場」（shooting galleries），就是二、三十人在一起過「癮」。雖然我害怕與人一起用針頭，但卻更需要毒品的滿足。

格林威治村的酒吧在凌晨關門之後，我會繼續參與會後會，那是連瘋子都覺得瘋狂的聚會；其中的兇殘、暴戾真是難以啟齒。如此的聚會往往持續到太陽高掛時才結束。

最後我終於往家的路上走。每當我穿著黑皮夾克從地鐵走上來時，總會通過擠滿人的人行道，都是那些等著進入會幕教會做禮拜的人。我每次經過都咬牙切齒，他們快樂的臉總是令我非常生氣！

擠過人潮，我便儘快地衝上樓。問題是我房間的窗戶面對與教會隔鄰的巷子，我無法逃避穿過教會牆壁傳來的樂音——比如「耶穌多麼愛我」、「我已潔淨」這些歌。有時我一面聽著旋律，一面便不自覺地哭起來。雖然我不願被碰觸，音樂裡就是有某種東西會感動我。

但是叫我進到教會裡面去？那甭談！我確信耶穌絕對不會愛像我這樣罪愆累累的人。

不久，與過去一樣，我的男友與我絕裂，我又進入另一段關係，住進另一座位於曼哈頓西北邊的公寓。有時候，我會聽到在我樓下的女人洗澡時唱歌的聲音。有一天我在走廊遇見她，便對她說：「我有時聽到你唱歌，你是個音樂家嗎？」「哦，不是的。我只是在我們教會裡的詩班唱唱罷了，我喜歡在家時練習這些歌。」

「是那個教會？」我問道。

「布魯克林會幕教會。」

我心想我才從那個教會搬開，那個教會卻繼續跟著我來！

在那同時，我的酒癮與毒癮也更加嚴重。有幾次家裡完全沒有吃的，電話線也被剪了。我開始典當家俱來換錢買毒品。我還是勉強維持住工作，就是整夜毒癮亢奮，我早上依然起床去上班。

有一個晚上在朋友家，我失聲痛哭。這是我人生裡第一次這樣說：「你知道嗎？我可能有毒癮。」這句話當然把十數年來的問題說得太輕描淡寫了，但對我來說卻是很重要的一步。

再來的幾天，我簡單的把問題歸咎在我的男友身上：就是因為他使用毒品才叫我受影響，不是嗎？於是我把他踢出我的公寓。

不到幾個禮拜，又有一個新的男友入住，他不用毒品，他只*販毒*。他會將幾磅的古柯鹼帶進屋裡。無疑的，我繼續吸

毒。

有一天晚上，我打電話到佛羅里達州給我母親，當時她已經成為一個基督徒。我開始滔滔不絕地談到我的生活。我不知道她如何辦到的，但是她平靜地回應我那段愁苦的自我表白，並邀請我去她那裡與她共度幾天。

在佛羅里達州的幾天，延長成為十四個月之久。我媽幫我加入匿名戒毒會，我戒了毒。我也設法考取高中同等學歷文憑；事情終於有了轉機！但是我新的自信很快便粉碎一空。

一次看醫生，揭發了一個可怕的事實：我得了愛滋病。其實這麼多年來與人共用針頭，得愛滋病不應是一件令人訝異的事，但我卻對這件事非常憤怒。為什麼就在我如此努力重新振作時，這事臨到我？我對自己、對神都很生氣。

我回到紐約開始自己的生意。在這同時，我的弟弟史提芬找到主，並開始向我作見證，但是我把他甩在一邊。最後，我終於答應跟他去布魯克林會幕教會。我堅持坐在樓上包廂，並且遲到早退。

終於，我跌到谷底。在一個連續五、六天通宵狂鬧之後的禮拜二，我錢花光了。不知道什麼原因，我竟然開車往教會去。　　　　　　　——藍菊蘿

毒品再次衝破我的意志力，只是時間早晚的問題。在我過了兩年戒毒生活之後，我又回去吸毒。在我心裡，那份羞愧的

感覺又來了。但我就是沒辦法，我需要毒品帶來的衝勁，勝過與生命搏鬥的動力。

終於，我跌到谷底。在一個連續五、六天通宵狂鬧之後的禮拜二，我錢花光了。不知道什麼原因，我竟然開車往教會去。那天晚上，我發現自己在聖壇前流淚，無法自己。「神啊！我需要祢在我生命裡，求祢幫助我。」那是我降服的一刻。從那一刻起，我開始相信神愛我。藉著這個新發現的信仰，我有了希望，以及一份慢慢成長的信心。

一年之後，我竟然在那個我曾經厭惡的詩班唱歌！在歷經如此多的困頓混亂之後，我的生命終於有了穩固的磐石。我知道──我內心深處真的知道神愛我、接納我，我可以完全在祂的愛裡放鬆。我終於從捆綁我多年的鎖鏈中得釋放。

●

直到接到藍菊蘿寫給凱蘿這封長達七頁的信之前，我們都不知道神因著祂奇妙的恩典，行了這樣大的一個神蹟。那時正是復活節前，我們正忙著籌劃一個演唱會。一天晚上凱蘿坐下來讀這封信，不到幾分鐘便哭起來了。「傑米，你一定要讀這封信，」她堅持要我讀，遞給我信的第一頁，然後又遞過來一頁，又一頁。很快地，我也跟她一樣淚流滿面。

看完信後，我們彼此對視，異口同聲的說：「真是奇妙！她*一定要*在復活節演唱會上作見證。」藍菊蘿從來不曾在大眾面前說話，但是她大膽的答應嘗試。

那天終於來臨，整棟大樓擠滿了人。她邀請所有的家人來

參加。坐在第三排的人當中，包括她父親在內，他們多半都沒有意料會聽到甚麼。

在詩班唱了四首詩歌之後，藍菊蘿從詩班席走出來，緊張地接過麥克風。「嗨！我叫藍菊蘿……我要告訴你們復活的耶穌對我的意義。」

我們事先已經指示她將見證裡最悲慘、可怖的部份省略。縱使如此，她的見證仍是非常感人、有力。當她講到最強烈的段落時，她禁不住說：「爸爸，我知道這對你來說很難聽進去，但我還是要說，因為這顯出耶穌能赦免一個人生命裡最壞的一切。」整場的情緒高漲到一個地步，大家弓身凝神屏息聆聽。

之後詩班唱了最後一首歌，我帶領聚會作結束。第一個跑到壇前來的就是藍菊蘿的父親，泣不成聲。然後是她叔叔、嬸嬸……，整個家族都上前來。

今天藍菊蘿是我們中間一個叫「新開始」（New Beginnings）事工的負責同工，每個禮拜服事吸毒者與無家可歸者，向他們傳福音。她現在有一百多位同工，每個禮拜天下午搭地下鐵到宿泊處與戒毒所去，帶人來教會吃飯、作禮拜。主的愛從她身上散發出來。

這些日子來，甚至在她身體不適時，藍菊蘿都是一個真正的戰士。每個禮拜天晚上，她帶著許多無家可歸者坐在二樓廂座。對她來說，沒有人是太髒、罪太深重，以至於她不關切的。她在他們身上看到她自己。她是神大能活活的明證，證明

神為祂自己的榮耀，拯救那些被踐踏的靈魂、自我厭惡的人，以及各種毒癮者。

秘密「公式」

為像藍菊蘿這樣的人以及他們帶來的這些人提供場所，成為我們教會的大問題。1985年，教會的成長迫使我們增加下午三點半的敬拜，接著在1996年初增加第四堂聚會，每一堂都是兩個半鐘頭。我們一直覺得必須給聖靈時間作工；我們無法將人們像裝配線作業般的趕過去。目前敬拜的時間是早上9：00，中午12：00，下午3：30，晚上7：30。

這樣的時間表實在令人筋疲力竭，但是在搬到更大的場所之前，我們沒有選擇。我就是無法忍受看到人們在門外無法進來而被遣散，但這卻常常發生。

在會場外加摺疊椅子，在入口加閉錄電視，可以坐至少1,600人。雖然我們在1985年開始差人到全市各地去——皇后區的格蘭岱爾、曼哈頓下東城區、南布朗士、康尼島、哈林區等地開設分堂，我們的人數仍然持續增加。目前我們在大紐約市區有七間分堂，從新罕布夏州到舊金山以及海外有十間分堂。

每一堂都是兩個半鐘頭。
我們一直覺得必須給聖靈時間作工；
我們無法將人們像裝配線作業般的趕過去。

　　我們開拓教會的第一群人，是藉由詩班公開演唱的號召而來的。事實上，我們的第一場演唱會純屬意外。曼哈頓的一個傳道人有一次打電話給我，請我幫個忙：他已經為了一個基督徒的演唱會，在某個禮拜三的晚上訂了可以容納 2,100 人的卡內基音樂廳，結果表演者竟然在只剩45天前取消演唱。他問我們的詩班可否演出，好避免這個財務損失，因為卡內基音樂廳不肯讓他取消合約。

　　我們從來不曾做過這種事，也不知道怎麼做。我們該不該賣票？結果我們決定不收門票，以收奉獻代之。音樂廳的管理處並不喜歡我們這樣的安排，但最後也只得勉強同意。

　　我們開始在全市放話出去，說布魯克林會幕教會將要免費演唱一些新歌。演唱會當天，場面的熱烈簡直把我們嚇壞了！中午以前，人們便開始在音樂廳外面排隊。隊伍從音樂廳所在的西 57 街，蜿蜒繞個彎到第七大道，再往上轉個彎繞到西 56 街，總共超過 3,500 人。

　　再來發生的事便是：紐約市的警察局開始擺設人潮擋路架、騎馬的警察開始巡邏維持秩序。我對於自己的處理不當感到很羞愧，便躲到音樂廳的地下室小房間去。一位面容嚴肅的警官來找我，問我說：「這裡到底怎麼了？是誰引起的？」我只得羞愧地承認是我的錯。

　　演唱會空前的成功。接近結束前，我簡短的介紹詩班所唱的福音，然後邀請人接受基督。人們真的上前來接受基督。我們就在那裡與他們一起禱告，並記下他們的姓名住址，以便做

進一步的帶領。

幾個禮拜之後，我接到一通從無線電城音樂廳打來的電話，跟我說：「下一次你們要不要考慮在我們這裡演唱？我們的座位可以容納六千人。」

凱蘿與我接到這個邀請當然覺得很光榮，但是當然其中也必須考慮費用的小問題：他們的租金超過美金70,000元！我們深吸了一口氣，決定要做這個嘗試；我們瞭解這次必須售票以便償付費用。我們以出版新唱片為當晚做宣傳。

三天以內所有的票便全賣光。

下一次我們出唱片時，我們演唱了兩晚。當我們出「Live ......With Friends」這張唱片時，連續演唱三晚──並且三晚的票全都賣光。每個詩班團員都負責賣五十張票給不上教會的同事。當團員向人家說：「嘿，我下個月要在無線電城音樂廳演唱，你要不要買張票？」人們通常反應都很驚訝，並給予正面的支持。

開拓教會成為我們開演唱會的一個重要動機。我們會在要開拓的教會附近地區分發免費票，然後在演唱會時便宣佈：「這個禮拜天，我們將在某處開始主日敬拜，請來參加。」

全美最大的基督教合唱音樂發行公司認識了我們，他們喜歡我們的音樂。於是，有一天他們與凱蘿坐下來談，問凱蘿道：「告訴我們，你們這裡的祕訣是甚麼？」

凱蘿開始談詩班的禱告會。這位訪客想：*她沒弄懂我的問題，我要知道是甚麼使音樂如此動人。*

好幾個月之後他才瞭解，原來這些音樂的生命來自禱告，那就是祕訣。

禱告無法藉原理原則、研討會、研習會來傳授，禱告是從整個需要的感覺產生的。如果我說：「我應該禱告。」我很快便會力竭燈枯而停止，我們的肉體太強烈了。我們必須被驅使去禱告。

是的，城市中的艱困生活迫使我們禱告——
但這是不是意味著美國其他地帶就都沒有問題呢？
我想不是的。

是的，城市中的艱困生活迫使我們禱告。當你碰到醉酒的人想要睡在你房子外的階梯；當你十幾歲的青少年子女往青年聚會的路上被人以刀威嚇、攻擊；當你聚會結束，在大廳撞見一些男扮女裝或女扮男裝的人妖時，你無法不覺得需要到神的面前祈求。根據哥倫比亞大學最新的統計，紐約市民繳給市政府的稅，每1美元中有21分錢花在因為抽煙、使用毒品、酗酒所帶來的後遺症上。

但這是不是意味著美國其他地區就都沒有問題呢？我想不是的。在農業地帶最小的村莊裡，也有他們緊急的需要。不管那個教會，會眾當中都有迷途的孩子，都有家人沒有事奉主。我們真的相信神能夠將他們帶回來嗎？

太多基督徒活在一種否定的情況當中：「唔！我希望我的

孩子有一天會回轉。」有些父母事實上已經放棄了：「我想大概沒甚麼辦法了，鮑比走岔了——但是我們曾嘗試過；嬰兒時我們曾為他行過嬰兒奉獻禮的。說不定有一天……。」

我們越禱告，便越感到需要禱告；我們越感到需要禱告，便越想要禱告。

生命徵兆的檢驗

禱告是基督徒生命的來源，是基督徒的生命線。否則就像你懷中抱了一個嬰兒，雖然穿戴得整齊可愛，卻沒有呼吸！花俏的衣服沒有用，穩定孩子的生命徵兆才重要。對一個昏迷不醒的人講話沒有用，這就是為什麼今天的教會在極力強調教導之下，卻產生如此有限的效果。除非有生命導入，否則教導沒有甚麼好處。如果聽的人是在一種昏睡狀態，縱使我們所說的非常好又很正統，不幸的是屬靈生命是無法被教出來的。

牧師與教會必須感到不暢快到一種地步去說：「如果沒有禱告生活，我們就不是新約的教會。」這樣的確信令我們坐立難安，但是除此之外還有甚麼能讓我們突破？

如果我們真的思考使徒行傳 2：42 說的——「都恆心遵守使徒的教訓，彼此交接、擘餅、祈禱。」我們會看到禱告是教會常態的明證。呼求主的名是這張單子上的第四大驗證。如果你我的教會不禱告，我們就不應該誇耀自己的純正，或禮拜天早上的聚會人數。

事實上凱蘿與我不只一次彼此告訴對方，縱使我們的聚會

人數超過一萬人，如果那份破碎的心靈與呼求主名在布魯克林
會幕教會有一點鬆弛退後，那麼我們便有麻煩了。

四

有史以來最偉大的發現

無數個禮拜二晚上的禱告會，禱告與代求的神聖聲音充塞著整個教會，滿溢到前廊，盪漾在每個與會者的心中，而我就這樣被這聲音所圍繞。當禱告會接近結束時，我往往無意中聽到母親們為迷失孩子的祈求、男人求主幫助能找到工作、有人為主應允禱告而感謝……，哭泣的禱告聲不絕於耳。我禁不住想到：*這是我這一輩子最接近天堂的一刻，我不想離開這裡。如果我被邀請到白宮去見某個重要人物，也絕不可能帶給我如同在這裡，在人們呼求神當中所體驗到的平安與深刻的喜樂。*

這聲音不是勉強的，不是群眾故意製造出來的一種宗教狂熱，這聲音乃是人們自由表達他們心裡的需要、渴望與讚美。

我在禮拜二晚上所聽到的，對我們教會並不是非比尋常或特別的事。這樣的禱告不是我們教會的新發明，這樣的禱告早已存在。在基督之前，在大衛王之前，甚至在摩西建造會幕、組織正式敬拜系統之前便有了。第一次提及這樣的禱告在創世

記 4：25-26：

　　亞當又與妻子同房，他就生了一個兒子，起名叫塞特，意思說：『神另給我立了一個兒子，代替亞伯，因為該隱殺了他。』塞特也生了一個兒子，起名叫以挪士。

　　那時候人才求告耶和華的名。

　　想想看，一直到那時候，人們只知道神是創造者。祂造了伊甸園以及他們所見到的整個世界。

　　然後人類第一次與全能神建立關係。在有聖經之前，在第一個傳道人被按立以先，在第一個詩班產生之前，敬虔人*呼求主*，而與他們周遭不敬虔的人產生區別。該隱與他的後裔走自己的道路，不倚靠神。相反的，這些敬虔人呼求神，來認定他們倚靠神。

　　事實上，神的第一個百姓不叫「猶太人」或是「以色列的子孫」或「希伯來人」。*最起初*他們的名字是「那些求告主名的人」。在某一天的某個時刻，神放在人心裡的本能開始復甦。人們感受到，如果你有了困難而求告神，祂會應允你！祂會介入你的情況當中。

　　我可以想像一個女人對另一個女人說：「你有沒有聽說，當你求告神時，祂會應允你？祂不只是個創造者，祂關心我們，回應我們的需要。祂真的瞭解我們的感覺。」

　　「你在說甚麼？神喜歡怎樣就怎樣，人無法影響祂做甚

麼。」

「不，不對，你錯了。當你求告祂，祂不會充耳不聞。祂垂聽禱告！祂應允禱告，祂採取行動。」

「主啊，救我！」

大衛‧耶利米（David Jeremiah）是聖地牙哥影子山社區教會（Shadow Mountain Community Church）的牧師，我的老朋友。他曾好幾次在會幕教會講道。當他被診斷罹患癌症後，立刻打電話要求我們為他禱告；幾個月之後，當他在麥迪蓀花園廣場舉行佈道會時，順道來探望我們，之後，他在我們的主日禮拜講道。會眾都很高興看到這位他們所代求的主內弟兄。

神並非冷漠，祂也絕不與我們疏離。歷世歷代以來祂一再不斷的說：「我要幫助你，我真的要。當你不知道往那裡去時，轉向我。當你準備放手時，舉手向我。」

他看到人們對他所表現出來的愛與感恩，深受感動。後來他在台上這樣說：「我一知道我的病情便立刻打電話來這裡，因為知道你們重視禱告。其實，剛剛在走廊有人跟我打招呼說：『耶利米牧師，我們真的為你求告主。』這就是為什麼我打電話給你們的原因。我知道你們的禱告絕不是一種機械式的運作，而是為著我的需要、帶著熱情的向神呼求。神便帶我經

過這一次的苦難。」

這便是舊約裡用了無數次的那個希伯來字——當人們求告主——真正的意思。它的意思是*呼求*、*求救*。這便是真正的禱告裡感動神的要素。

司布真（Charles Spurgeon）曾經這樣說：「要描述最好的禱告形態，除了說它是一種哭泣以外，別無他法來形容。」（註1）

這豈不是神在整本聖經裡面*邀請*我們做的嗎？「你求告我，我就應允你，並將你所不知道、又大又難的事指示你。」（耶33：3）。神並非冷漠，祂也絕不與我們疏離。歷世歷代以來祂一再不斷的說：「我要幫助你，我真的要。當你不知道往那裡去時，轉向我。當你準備放手時，舉手向我，出聲呼求我，我便來幫助你。」

當摩西從西乃山下來時，求告神成為祂的百姓成功的象徵。這位眾人尊敬的族長，在他那篇最後的贈言裡戲劇性地宣告這一點：「哪一大國的人有神與他們相近，像耶和華我們的神，在我們求告祂的時候與我們相近呢？」（申4：7）。其他的國家可能有較好的馬車、佔優勢的武器，但是這些終究並不重要。他們沒有以色列所擁有的：一位當他們呼求時會回應的神。但是請注意：若以色列不求告神，就沒有神所應許的幫助臨到。有的只是羞辱與失敗。

真正的力量

撒旦對神的子民的主要策略總是：在人們耳邊輕聲細語的說：「不要呼叫，不要求告，不要倚靠神來做大事。只要倚靠你自己的聰明才智就没錯。」事實的真象是：那惡者並不怕我們人類自己的努力與認定。但是牠知道，一旦我們將心舉向神時，牠的國度就要傾倒。

且聽大衛在詩篇4：3所斷言的：「你們要知道耶和華已經分別虔誠人歸祂自己。*我求告耶和華祂必聽我。*」這就是大衛的整個心態、他的直覺，更是他的戰略。*非力士人的軍隊有甚麼並不重要，我們若呼求神，祂便要給我們勝利。但是若我們退後不求告祂，即便是一小隊軍隊都可能將我們擊敗。*

我幾乎可以聽到大衛說：「你可以追襲我，你可以逼迫我，你可以任其所為——但是當我求告神，你就有禍了。我求告耶和華祂必聽我。」

那惡者並不怕我們人類自己的努力與認定。

但是牠知道，

一旦我們將心舉向神時，牠的國度就要傾倒。

從詩篇14：4讓我們看神如何定義惡人：「作孽的都沒有知識麼？他們吞吃我的百姓如同吃飯一樣，*並不求告耶和華。*」這便是神對不敬虔者的定義。他們做許多事情，卻不謙卑自己，全心來到神的面前呼求神，認定祂是全能的神。

　　一位偉大的靈修作品的作者這樣寫道：「神要求我們最主要的一件事，便是要我們注意祂。」

　　除非一個人謙卑的呼求主的名，否則救恩是不可能臨到的（徒2：21）。因為神應允特別對那些求告祂名的人有豐盛的憐憫（羅10：12-13）。

　　神在詩篇50：15說：「要在患難之日求告我，我必搭救你，你也要榮耀我。」神渴望出自我們生命的讚美，但是能夠有源源不斷的清新的讚美與榮耀，唯一的辦法是我們不斷的在患難需要中來到祂面前。祂便要介入我們的情況當中，向我們顯出祂的能力，我們便知道是祂為我們成就的。

　　我們豈不是都有些驕傲，自以為能夠掌握情況？那麼，讓一些患難臨到吧！很快地，我們便知道自己多麼的無能為力。患難是神的僕役，因為它提醒我們：我們需要不斷的倚靠主；否則，我們往往忘記懇求祂。似乎我們都喜歡靠自己行事。

復興如何開始

過去的教會復興史將這一個真理描述得詳實完善。無論你研究美國大復興、第二次大復興、威爾斯大復興、1906年洛杉磯阿蘇撒街的聖靈充滿，或任何一段復興史，你會發現人們無論男女都有一份內心的渴求，渴望看到情況真的改變──在他們自己本身以及他們的教會中。他們恆心的求告神，禱告帶出復興，復興帶出更多的禱告。就如同詩篇80篇，亞薩為他的時代悲嘆──破敗的城牆，野獸出沒，葡萄園遭焚燬。然後在18

節他這樣懇求：「求祢救活我們（英文NIV：復興我們），我們就要求告祢的名。」

聖靈是禱告的靈。當我們被聖靈所充滿的時候，我們會覺得不論我們轉向那裡，我們都需要神。我們可能正在開車，忽然我們的靈開始轉向神，就在繁忙的道路上，為著我們的需要、為著別人向神懇求、代求。

如果我們的教會不禱告，如果人們不覺得渴慕神，禮拜天有多少人參加聚會又有甚麼意義呢？神如何看重我們的聚會？你能想像天使在那裡說：「哇，看！你們教堂的座位這麼漂亮！我們在天上都一直在談這些漂亮的座位。你們聖堂的燈光真是設計得很棒；還有，你們走上講台的階梯真是妙極了……」我想天使不會這樣說。

如果我們在地上並不渴望經歷與主親近，那麼我們去天堂幹什麼？祂是天堂的中心。如果我們現在不享受祂在這裡的同在，那麼天堂便不是我們去的地方。祂何必送一個此時此刻不渴望祂的人到天上呢？

我並不是說我們是靠禱告與敬虔的行為而稱義。我並不是一個律法主義者。但是讓我們不要逃避事實——天堂到底像甚麼樣子？天堂乃是享受神的彰顯，愛慕祂、聆聽祂、讚美祂。

我曾經與許多牧師談過，有一些是很傑出、很「成功」的牧師，他們悄悄地告訴我：「傑米，事實上，我的教會無法舉行真正的禱告會，禱告會來的人數真令我難堪！除非有名的人來講道或唱歌，或教授甚麼課程，人們不會來。我只能讓他們

參加一個小時的聚會，而且也只能一個禮拜一次。」

那樣的宗教在聖經裡找得到嗎？甚至耶穌在祂自己的人當中也無法聚集一大群人！事工的品質往往由人數與教堂大小來決定，而非由真實的屬靈光景來決定，這真是悲哀！

我身為傳道人，讓我在此直率的說：講道本身很容易成為一個取悅聽眾的犮點形式。當我站在基督的審判台前時，祂不會問我是否是個聰明的演說家，也不會問我寫過幾本書。祂只會問我是否忠心的承繼自亞當的孫子開始的職責，帶領人求告神的名。

一項個人的試驗

我所有關於禱告的談論，在多年前遇到極嚴厲的試驗。在兩年半當中，凱蘿與我走過一段我們所能想像最黑暗的人生隧道。

我們的長女克麗西成長過程中一直都是模範兒童，但是到大約十六歲時，她開始走入歧途。我承認我注意到的太遲了──我整個心思都在教會上：設立分堂、監督事工，以及許多細節。

克麗西不僅與我們疏遠，同時也遠離神，最後甚至離開家。許多個夜晚我們完全不知道她人在那裡。

當情況越來越嚴重時，我試盡所有的辦法。我求她、我遊說、我責備、我爭論、我以金錢控制她。現在回想起來，我發現自己所採取的行動實在愚昧。甚麼都沒效，她的心只是越來

越硬。她的男朋友是我們最不希望自己的子女交往的那種人。

　我不知道那段時間我是如何過來的。許多個禮拜天早晨，我穿好衣服，上車，早早開車到布魯克林會幕教會——在凱蘿之前，然後哭個二十五分鐘，一直哭到抵達教堂門口。「神啊，我今天要怎麼撐過三堂聚會？我不想使自己成為眾人的焦點，人們有他們自己的問題——他們是要來得幫助、受勉勵的。但是我呢？我有如被掛在細絲上，千鈞一髮。哦，神，求求祢……我的長女，我的克麗西。」

　每次神似乎就有辦法把我重新整頓好，讓我能撐過另一個長長的禮拜天。但是，往往有些時刻，當我們正在敬拜、唱歌時，我的靈好像就要從聚會跑開去為克麗西代求似的。我必須控制自己專注在眾人以及他們的需要上。

　就在這段時間，我們得知凱蘿需要開刀切除子宮。當她開刀完正在調適時，那惡者藉機試探她，對她說：「*你雖然有一個大詩班，又灌唱片，又在無線電城音樂廳開演唱會，很好，你們夫妻儘可以向世界傳耶穌——但是我要你們的小孩。我已經得到第一個，我要繼續得第二個。*」

　就如同任何一個愛孩子的母親，凱蘿完全被懼怕與煩惱所啃蝕。她的家庭比詩班對她更重要。有一天她對我說：「聽著，我們必須搬離紐約。我是認真的。這裡的環境已經吞噬了我們的女兒，我們不能繼續在這裡教養我們的孩子。你如果要留下來，你請便。但是我要帶著我們另外兩個孩子走。」她不是在開玩笑。

有一天她對我說：「聽著，我們必須搬離紐約。
我們不能繼續在這裡教養我們的孩子…。」

我說：「凱蘿，我們無論如何不能這樣做。我們不能還不
知道神要我們怎麼做，就任意的採取行動。」

凱蘿並不是叛逆，她只是手術之後很沮喪。她最後決定不
離開；也就在那些最低潮的日子當中的一天，她走到鋼琴前，
神給了她一首歌，這首歌比任何她寫的歌感動了更多人：

在我懼怕的時刻
經過每一分的痛苦、每一滴的眼淚
有一位神在那裡，始終以信實對我。
當我的力量已盡，
當我的心不再有歌，
祂仍然以愛向我顯出祂的信實。
祂所應允的每句話都真實；
我看來不可能的事，我看到我的神成就。

祂始終以信實待我
回顧以往，我看到的是祂的慈愛與憐憫。
雖然在我的心裡我曾懷疑，
甚至不願相信，

祂還是以信實待我。

當我的心游移，
許多時候我無法禱告，
我的神仍舊以信實待我。
當我自私的過日子，
照我的歡喜來選擇；
就是在那時神還是以信實待我。
每一次我回轉向祂，
祂總是張開手臂等候我，
我又一次看到，

祂始終以信實，信實待我……。(註2)

　　在經過這一切當中，我們向神求告嗎？某一個層面，是的。但我總是禁不住跳下去採取自己的的行動。我仍舊是那個想要搶到籃球的前衛，將球往地上擲，希望能發生甚麼，衝破防衛線中我所能發現的任何漏洞。但是我越用力，克麗西的情況便越壞。

　　之後，在一個十一月裡，我獨自在佛羅里達州，接到一通電話，是一位我極力希望克麗西能與之談談的牧師打來的。他說：「傑米，我愛你們夫妻倆，但是事實的真象是克麗西會做她要做的。你們沒有選擇的餘地，現在她已經十八歲了　她相

當堅決，你們只好接受她所做的決定。」

　　我掛上電話，我的內心深處開始呼喊：「絕不！我絕不接受克麗西離開祢，主！我知道如果繼續走目前的道路，那麼無疑的，滅亡將等著她。」

　　又一次，如同發生在1972年的情形，神再一次干預。祂強烈地讓我感到我應該停止哭泣、咆哮、或與任何人談有關克麗西的事，我只與神談這事。我心裡明白，一直到神行動，我不該與克麗西有任何接觸。我只要相信並順服我常常傳講的──**要在患難的日子求告我，我必搭救你。**

　　我溶化在淚水中，我知道我必須將整件事放手。

　　回到紐約之後，我開始以一種前所未有的專注與不斷增長的信心來禱告。不管聽到任何關於克麗西的壞消息，我都繼續為克麗西代求，並且開始為我相信祂很快要成就的事讚美神。我不再企圖與她見面。凱蘿與我以一種真正憂傷的心熬過了聖誕季節。我很感傷的陪著另外兩個孩子圍坐一起拆禮物──沒有克麗西在場。

　　二月來臨。一個寒冷的禮拜二晚上，禱告會當中，我講到使徒行傳第四章，關於教會在逼迫當中勇敢的求告神。然後我開始禱告，每個人都同時向神禱告。

　　一位招待遞給我一張紙條，一位我覺得靈裡特別敏銳的年輕姊妹這樣寫著：**「辛牧師，我覺得我們應該停止聚會，讓所有的人都開始為你的女兒禱告。」**

　　我有點猶豫。改變整個聚會程序，專注在我個人的需要

上，這樣做對嗎？

但便條上寫的似乎是真的。幾分鐘以後，我拿起麥克風，告訴會眾剛剛發生的事，說：「雖然我一直不太提起這事，但是事情是這樣的：這些日子以來我的女兒遠遠的離開神。她以為錯的是對的，對的是錯的，黑暗是光明，光明是黑暗。但我知道神能夠擊破她，所以現在我要請蒲牧師來為克麗西禱告。讓我們所有在場的人都手牽手一起禱告。」

當我的副牧師開始禱告時，我站在他後面，將我的手搭在他的背上。我的淚已流乾，我盡我所能的禱告。

在接下去一刻裡所發生的事，我只能以一個比喻來說明：**整個教堂就像一間產房**。女人臨生產時所發出的聲音一點也不好聽，但結果卻是奇妙無比。保羅瞭解這一點，因此他這樣寫道：「我小子啊，我為你們再受生產之苦，直等到基督成形在你們心裡」（加4：19）。

禱告時，有一種呻吟聲發出，是一種拼命的決心，似乎在說：「撒旦，你**無法**得到這個女孩。將你的手撤離──她要回來！」我完全驚呆了。群眾蜂擁哭求神的力量，幾乎將我擊倒在地。

那天晚上當我回到家，凱蘿等著我。我們一起坐在廚房桌邊喝咖啡，我說：「爭戰結束了。」

「甚麼結束了？」她奇怪地問道。

「克麗西的爭戰結束了。你應該來今晚的禱告會的。我告訴你，如果真有神在天上，那麼這整個惡夢已經結束了。」我

向她描述當晚所發生的事情。

從絕望的深淵回來

三十二小時之後，禮拜四早上，我正在刮鬍子，凱蘿忽然衝進來，瞪大眼睛說：「快下樓去！克麗西在這裡。」

「克麗西*在這裡*？」

「是的，快下去！」

「但是凱蘿──我──」

「快下去！」她催促著。「她要見你。」

我擦掉刮鬍膏，急忙往樓下衝，心臟噗噗跳個不停。就在樓梯轉角，我看到我女兒跪在廚房*地板*上，搖擺啜泣著。我小心的叫她的名字：

「克麗西？」

她抓著我的褲腳，開始將她心裡的痛苦傾倒出來：「爹地，爹地，我得罪了神，我也得罪我自己，我還得罪您跟媽咪。請赦免我──」

我的視線與她的一樣模糊不清，我把她從地板上拉起來，抱著她哭成一團。

她忽然將身子往外一推，問我：「*爹地，是誰在為我禱告？到底是誰在為我禱告？*」口氣就好像檢察官在審問一般。

「克麗西，你指的是甚麼？」

「禮拜二晚上，是誰在為我禱告？」我沒有回答，她便繼續說：「半夜時，神把我叫醒，讓我看到我正在往絕望的無底

深淵走。那是一個無底洞——可怕極了。我極其害怕，我瞭解到我是多麼的頑劣，多麼深入歧途，多麼叛逆。但就在同時，好像神的手把我包圍住，緊緊的環抱我，使我不至於再往下滑，並且告訴我說：『我仍然愛你。』」

「爹地，請老實告訴我，*禮拜二晚上到底誰在為我禱告？*」

我看著她那充滿血絲的眼睛，再一次認出我們所撫養長大的女兒。

很快的，克麗西明顯地回到主面前。當年秋天，神為她開了一扇奇蹟的門，讓她進入一所聖經學院。在那裡她不僅讀書學習，並且很快地開始指揮音樂團隊以及一個很大的詩班，就像她的母親一般。今天，克麗西已經是一個在中西部的牧師的妻子，有三個可愛的孩子。經過這一切，凱蘿和我學到我們以前未曾學到的功課——當我們不斷的呼求主的時候，就是惡者那最堅固的營壘也將被攻破。在神沒有不可能的事。

對於基督徒，在人生危困時，別無他途，只有求告神。

五

耶穌生氣的那天

與大部份的基督徒一樣，我喜歡耶穌肩上背著小羊，帶它到安全的地方那幅畫像。

我喜歡馬槽裡的嬰孩的形象。

我喜歡基督將餅和魚分給眾人吃的故事。

每當我想到基督為我的罪死在十字架上時，我的心便受感動。

我每每為復活節的早晨，基督從墳墓裡出來的情景而驚嘆不已。

但是有另一個耶穌的形象，坦白的說，似乎與其他的不大相稱！這事件實在太令人震驚，以至於我常想為什麼神把它放在聖經裡——不只一次，而是兩次。第二次的陳述在馬可11章15-18節。

他們來到耶路撒冷。耶穌進入聖殿，趕出殿裏作買賣的

人，推倒兌換銀錢之人的桌子，和賣鴿子之人的凳子；也不許人拿著器具從殿裏經過。便教訓他們說：「經上不是記著說：『我的殿必稱為萬國禱告的殿』麼？你們倒使他成為賊窩了。」祭司長和文士聽見這話，就想法子要除滅耶穌，卻又怕祂，因為眾人都希奇祂的教訓。

　　無疑地，這十二個門徒與群眾一樣震驚；聖經並沒有提到他們幫助他們的老師潔淨聖殿。耶穌一個人開始推翻桌子、阻止人運送東西進來，並且一面說：「出去，帶著這些東西出去！你不可以帶著這些進到院子裡來。」祂狂暴的對這些帶著牛、羊與鴿子的商人說：「出去，不要在這裡作生意！」

　　一向慈愛的耶穌到底怎麼了？任何一個如此發怒又動手腳的人，必定不是一個活在聖靈裡的人，不是嗎？但這是耶穌基督。事實上，在這件事發生的幾年前，當祂第一次這樣做的時候（約翰第二章），祂甚至用繩子做了一個鞭子，將人鞭出聖殿之外！

　　到底是甚麼如此激怒神的兒子？

　　神的家被**各種意圖**作賤了，*這些意圖都不是神所要的*。

　　正當羽毛到處飛舞、銀幣在走道上鏘鏘作響、生意人高聲呼叫警察時，耶穌的聲音壓過眾人的咆哮：「這個地方看起來、感覺起來像購物中心過於聖殿。以賽亞不是說神的殿要成為萬民禱告的殿？這豈是禱告的殿？出去！所有的人都出去！」

他們只是做著他們的事罷了！

奇怪的事情是，當時如果有電視新聞訪問這些在場的生意人，他們大約會強烈的辯說自己有權利在那裡。「我們只是提供敬拜的人基本所需的服務罷了。要不然人們到哪裡去找祭祀的牲畜呢？你如果住得比較遠，怎麼可能趕著你的牛羊經過耶路撒冷的大街小巷？我們必須提供幫助……。」他們會這麼說。但是他們當然大大提高了價錢嘍！

> 耶穌並不喜歡宗教商業行為。
> 祂不只關心我們是否做上帝的工作，
> 祂也關心我們如何、為什麼做上帝的工作。

換錢的人也會同樣的說：「每個人都得繳聖殿稅，人們從各處來總是帶著希臘、羅馬、馬其頓的錢幣，到了耶路撒冷當然需要兌換錢幣。我們只是幫助人解決兌換貨幣的問題罷了。」但是他們當然從中賺取巨額利潤。

對於我們這些參與在傳福音、音樂演奏、出版基督教刊物的人，以及其他所有的人，這裡有一個讓我們都不舒服的信息：耶穌並不喜歡宗教商業行為。祂不只關心我們*是否*做上帝的工作，祂也關心我們*如何*、*為什麼*做上帝的工作。有一天在基督的審判台前，祂要問我的主要問題不是布魯克林會幕教會增長或預算的問題，而是我*為什麼*牧養這個教會——出於甚麼心？

如果你參與詩班唱歌，問題不只在於你**是不是**唱得正確，而是你**為什麼**要唱。

如果你教課，原因是否為了散佈基督的愛在學生的身上，還是有其他的原因？

我常常訝異於一些現代基督教音樂團隊的表演合約。若要邀請他們到你的教會演唱，那麼費用必須是這麼多（往往是四到五位數字），再加上往返機票——經常是頭等艙，而不是經濟艙。所有的細節都寫得清清楚楚，連到達旅館時，必須有「二十人份的壽司」為點心都寫明在合約裡。當這一切都滿足時，這一群人便站在市區裡的貧窮聽眾面前，勸慰人們「只要信靠神，祂必會供應。」

在營會時代，我們的信仰前輩經常說，如果人們從一個聚會回家，談的只是傳道人的講道多好，或是詩歌唱得多美妙，那麼聚會便算是失敗了。但是如果人們回家時說：「上帝真是好！今晚祂以奇妙的方式與我相見。」那麼這是一個好的聚會。神的舞台上是不容許人與之分享的。

第一世紀那些兌換錢幣的人雖然身處聖殿裡，卻沒有聖殿的靈。他們或許合法地扮演協助人敬拜神的角色，卻全然錯過了神的殿的主要目的。

從創世記到啟示錄，聖經甚麼時候說過：
「我的殿要稱為講道的殿」？

耶穌似乎在説：「我父的家是為了禱告，環繞在我父四周的香氣，應該是人們打開他們的心敬拜、懇求的香氣。這裡不是一個只為賺錢的地方，這是一個呼求主的房子。」

我並不是在暗示這個由希律王所建造的耶路撒冷聖殿相當於我們今日的教會建築。神已不再彰顯於某一個特定的建築物。事實上，新約聖經教導我們，現在我們是祂所住之處；祂住在祂的百姓裡面。那麼，耶穌所説關於禱告的優先性，豈不更加重要？

老實說，我目睹神在十分鐘真正的禱告中所做的，

比我十堂的講道還多。

使基督的教會、基督徒、基督徒的聚集與其他的有所分別之處，應該是那禱告的香氣。你的傳統或我的傳統都無關緊要。反正這殿也不是我們的，這是屬父神的。

聖經從創世記到啟示錄甚麼時候説過：「我的殿要稱為講道的殿」？

或者曾説過：「我的房子要稱為音樂的殿」？

當然沒有。

聖經確曾説：「我的殿要稱為萬民禱告的殿。」講道、音樂、讀神的話，這些都很好，我這樣確信並且遵行這一切。但這些卻絕不可以超越禱告，因為禱告乃是神居所的記號。老實說，我曾目睹神在十分鐘真正的禱告中所做的，比我十堂的講

道還多。

教會的主要重點

你曾否注意耶穌開始基督教會，不是發生在講道當中，而是發生在人們的禱告當中？在使徒行傳前兩章，門徒除了等候神以外，甚麼也沒做。正當他們坐在那裡……敬拜、與神交通，讓神塑造他們、潔淨他們的靈，進行除了聖靈之外沒有人能做的開心手術……，就在那一刻，教會誕生了。聖靈傾倒下來。

神是在禱告會當中誕生教會，然而今天教會的禱告會已經幾近絕跡。

神是在禱告會當中誕生教會，
然而今天教會的禱告會已經幾近絕跡。

當美國的宗教領袖談論恢復公立學校的禱告時，難道只有我一個人感到羞慚嗎？在許多教會，我們甚至也不怎麼禱告！我們豈不應謙卑地保持緘默，直到我們實踐對會眾所傳講的之後再說。

我確信羅馬皇帝時，學校沒有向神禱告。但是當時，初代的基督徒似乎也不怎麼在乎可立古拉（Caligula），或是革老丟（Claudius），或是尼祿（Nero）怎麼做。有那一個王能阻止神？事實上，當神的百姓禱告呼求神的名時，地獄的魔鬼如何能勝得了？絕不可能！

在新約裏；我們沒有看到彼得或是約翰搓揉著雙手說：「唉，我們該怎麼辦？可立古拉是個雙性戀⋯⋯他要指定他的馬作羅馬參議員⋯⋯多麼可怕的領袖典範！我們對這種行為該如何反應？」

讓我們不要與自己玩遊戲。讓我們不要再為自己教會軟弱的禱告生活自我安慰。在使徒行傳第四章，當使徒被不公正地逮捕、囚禁、威嚇時，他們沒有呼叫抗議；他們沒有尋求政治手段。他們立刻開始禱告會。很快地，整個地方便因聖靈的能力而震動（23-31節）。

使徒擁有這樣的本能：當遇見困難時，禱告。當害怕時，禱告。當挑戰來臨時，禱告。當遇見逼迫時，禱告。

英國聖經翻譯者J. B. Phillips在他翻譯完這一段經文時，不禁回想他所觀察的。1955年，在他為使徒行傳第一版寫序時，他寫道：

幾個月的時間，關起門來，研究這一本令人驚異的短書⋯⋯不可能不叫人深深地感到激動，誠實的說，被攪得惶惑不安。讀者感到激動，因為他目睹基督教第一次真實的發生在人類歷史上。這新誕生的教會，如同一個嬰孩般的軟弱無助，從一般人看來，既沒有錢，沒有影響力，也沒有權勢，卻歡喜勇敢的蓄勢待發，將要靠著基督為神贏得外邦世界⋯⋯。

然而被感動的同時，我們卻無法不感到被攪動得惶惑不安，因為，教會本該是那樣活力充沛、柔韌靈巧，因為那個時

代是在教會因著興盛而變得肥胖氣喘、因著組織而肌肉緊繃之前。這些人不用實行「信心的行動」，他們純然相信。他們不用唸誦禱詞，他們真正禱告。他們不開研討會討論身心療法，他們只是醫治有病的。但是，如果照現代的標準說他們簡單無知，我們卻必須悲哀地承認他們向神敞開的程度是我們今天幾乎毫無所知的。（註1）

向神敞開……這豈不激動你的靈？就這一句話，將初代教會能力的秘訣作了總結，這個秘訣二十世紀以來沒有改變。

豈有人太頑強？

一個令人驚異的註腳出現在使徒行傳第九章，當大數的掃羅，這位凶狠的教會逼迫者信主時，神需要一位信徒來服事他。很自然地，沒有一位基督徒願意接近這個人。然而神勸說亞拿尼亞，對他說：「起來！往直街去，在猶大的家裡，訪問一個大數人名叫掃羅。他正禱告」（11節）。這便是證據了，似乎一切都改觀了。「沒問題的，亞拿尼亞……安靜下來……你現在不用害怕了，很安全：因為他在禱告。」

幾年前在布魯克林會幕教會，我們親眼見主應允信心的禱告，折服一個同樣頑強的罪人。這個觸摸到李卡多（Ricardo Aparicio）的整個行動是從禱告開始的。

在我們教會裡，大部份的事工都**不是**牧師們開會決定的。我們通常不會這樣說：「讓我們開始一個街頭福音事工」，然

後開始徵召信徒來做。這些年來我們已經學會，讓神在那些靈裡敏銳的人們心裡孕育出一份感動。他們會說：「我們要開始這、開始那」，於是事工便開始，並且一直持續下去。灰心、煩瑣以及敵人其他的攻擊都不會使之停頓。

　　一個叫做泰利的人以及其他幾個人，開始關心逐漸在曼哈頓下城西邊一個叫「鹽谷」的地區盛行的男妓次文化。那個地區是紐約市囤積冬天下雪時撒街用的鹽的地方。這個病態的次文化在天氣暖和時，會有多達數百個男人。他們住在廢棄的汽車或是地下室裡，很多人穿著女裝等著路過的顧客──有些是坐著加長禮車的富豪，來進行交易。

　　他們很多人是在男童時便被自己的男性親人強姦。在「鹽谷」有的男孩子十六歲便開始這行了，但是他們往往無法作超過四十歲；之後，他們不是進了監牢，便是由於性傳染病或藥物過量而死。「鹽谷」附近有許多穿著皮衣金鍊者的酒吧；有些男妓身上都帶著刀片保護自己。

　　我們的福音隊開始在禮拜六的白天，當這些人不被「工作」纏身時，帶著食物、毛毯去給他們。雖然這些人收入可觀，卻往往浪擲在毒品上，最後只得在垃圾堆裡找食物吃。

　　去愛這些人、瞭解他們殘破的生命，實在不是一件容易的事。我們在禮拜二晚上便拼命禱告，求愛心、憐憫，也求主保守。

　　我十幾歲的女兒蘇珊也是此福音團隊的一員，她不只一次的告訴我：「爸爸，昨晚真是很令人喪氣！我正在向這位男扮

女裝之后談耶穌，他也真的在聽我說。正當我以為快要把他帶到主面前時，一部豪華禮車便剛好開上來，後門開一條縫，伸出一隻手揮一揮，這人便上車走了。『抱歉，蘇珊，現在得照顧一下生意』，他這樣對我說。」

但不管怎樣，這一切並不是完全沒用。有一個禮拜天的下午，大約下午聚會半個小時前，泰利敲我辦公室的門說：「辛牧師！今天有二十七個從『鹽谷』來的，真是令人興奮！」

「到底怎麼回事？」我問道。

「我們今天開了幾部迷你客車去載他們。他們很多都是一輩子第一次進教會。」

事後我才知道，其中有一個人在風衣袖口帶了一把彎刀，預備「萬一」時使用。

雖然這些人看起來——或聞起來，都不同於一般美國人，我們的會眾仍舊對他們的出現保持「視若無睹」的一般風度。聚會結束時，這些人中有幾個人回應將心獻給主。其他的人坐在那裡，當教會的會友過來與他們打招呼、問安握手時，他們對於會友的友善表現出一副吃驚的樣子。

走下中間的走道，我撞上一個穿著黑色洋裝、很迷人的女人，一頭披肩金髮、修飾漂亮的指甲、黑色長襪、高跟鞋。「小姐，對不起！」我說。

她轉過身來，低沉的聲調配合著濃重的西班牙口音，回答說：「沒關係，先生。」

我的心跳了一下，這完全不是一個女人，但卻也不是一個

邋遢的人妖。這是一個漂亮的「女人」——苗條，由於使用荷爾蒙的關係，沒有半點體毛。當我仔細近看時，唯一洩露秘密的地方便是那顆亞當的蘋果。

我側著身子走到我太太身邊，向她耳語說：「凱蘿，你絕不會相信，站在那裡的那個人是個**男人**。」

「別騙我了，」她說。

「我沒有開玩笑，相信我——那**是**個男人。」

他的名字叫李卡多，在街上人稱他為「撒拉」。泰利後來報告說：「他是個製造麻煩的人物。他引介很多小孩吸毒賣淫。」李卡多已經幹這一行至少十年以上，最後淒楚逐漸追上他。可以想像的是：大部份的夜晚，他奔馳於自暴自棄的境地，去賺取 400 元或 600 元，然後立刻將錢花在古柯鹼上，睡在橋下……；隔天早上起來，在垃圾桶裡翻找食物當早點吃。隔天晚上，當夜晚來臨，一切再重複發生。

李卡多坐在聚會裡，那個意念開始在他裡面產生——也許他**可以**有所不同。這位耶穌能真的釋放他。或許這位耶穌甚至能夠將他變成一個真的男人，而非這個他自以為是天生的半男半女。從童年開始他便被嘲笑娘娘腔。他的母親一直求他放棄同性戀，他也曾嘗試，但是沒有用，他的意志力令他失敗過無數次。

但是神比他強壯，神可以從裡面改變他，這是個新的想法。李卡多繼續聽下去，大約一個月之後，他將心獻給主。這個轉變不是一個戲劇性的轉變；我甚至不太確定是那一刻發生

的。但是裡面的改變卻是真實的。

我永遠不會忘記，那個禮拜二晚上，我們介紹他給會眾。他站在我們前面，有點靦腆，穿著男人的衣服，他的金髮已經剪了，黑色的髮根開始長出來。他的指甲油已經洗掉。潛意識的習慣已經由泰利以及其他人指正他：「李卡多，這樣不對！腿不要這樣交叉，把你的腳踝整個放在另一腳的膝蓋上……。」聽起來有些可笑，但他們必須從頭來幫助他，從男人該怎麼坐與走路開始。

眾人禁不住為這個神蹟歡呼讚美神。李卡多站在那裡，為這些噪音不解。這些人為什麼向他拍手？

接下來的幾個月，李卡多在他的屬靈生命中大有長進。事實上，我們花了三個月的時間，才幫助他整頓自己到可以進戒毒療養院的程度。雖然如此，他跟隨基督的心志很堅定。舊的已去，都變成新的了。

李卡多已從黑暗的深淵進入光明。司布真曾經這樣寫說，當一個寶石匠向人展示他最好的寶石時，總是將寶石放在黑色的絨布上。神在那最無望的地方，成就最令人訝異的工作。哪裡有傷痛、苦難、絕望，哪裡就有耶穌。而這正是祂的百姓所在之處──在那些軟弱的人、沒有人關心的人當中。除此以外，還有哪裡最能顯出基督的榮美？

李卡多最後搬到德州。有一年夏天我到達拉斯，在那裡遇見他。看到那樣大的改變實在美好。他增了些體重，全身上下都是百分之百的男人。我擁抱他，然後他告訴我一件令人驚異

的消息：

「牧師，我希望你兩個禮拜以後能夠回來，我要結婚了！」

「你要甚麼？」我的心閃過第一次見到他，他穿著女裝的那一刻。

「沒錯，」他說。「我遇見一個基督徒女子叫貝蒂，我們彼此深深相愛，所以我們要結婚了。」

李卡多有愛滋病的這個事實，使事情有些複雜。但是有適當的輔導與指示，他與貝蒂一起建立了一個新家。

留下傳奇

幾年之後，聖誕節期間，我正在辦公室，下午的主日聚會正要開始，我接獲一個消息說李卡多快要去世了，他想跟我說話。

我頹喪的在椅子上坐下，接過電話，貝蒂的聲音跟我招呼：「嗨，牧師，當我把電話交給我丈夫時，你不會聽得很清楚，因為他很虛弱，但是他仍然清楚記得你以及教會為他所做的一切。」

過了一會兒，我聽到一個微弱、耳語的聲音說：「辛──牧──師，真──高──興──聽──到──你──的──聲──音。」

我哽咽了。

李卡多勉強的喘出幾個字，繼續說道：「我──永──遠

——不——會——忘——記——你們——如——何——愛——我——接——納——我。非——常——謝——謝——你——們。」

我的牧師的本能復甦了，我準備要講一點安慰的話，告訴他：他不久就會到天堂，他會比我先到，但是我會在那裡見到他，永永遠遠……。

聖靈就在那時停止我。「不！」好像有一個聲音說：「為他爭戰！呼求我！」

我轉換路線。「李卡多，我現在要為你禱告。不要嘗試一起禱告，保留你的力氣。」我開始迫切的為他代求，與他所面對的死亡爭戰。「哦，神啊，以你的大能觸摸李卡多！這還不是他死的時候。為你的榮耀恢復他，我這樣祈求。」我記得我還數次以拳頭敲打我的桌子。

結束之後，我直接走進聚會當中，停止聚會，告訴眾人：「我剛剛接獲李卡多的電話，你們大部份的人認識他，」人們滿懷期待地把頭抬起來。「他患愛滋病，病勢非常嚴重，但是我要大家為他的康復禱告。」

立刻禱告的聲浪開始自由、迫切地為李卡多呼求神。

兩天以後我打電話給貝蒂。「辛牧師，真令人難以置信！」她報告道：「在你們兩個人談過話之後他便睡著了——第二天，他所有的生命信號都一百八十度迴轉。他開始吃東西，幾天以來他幾乎甚麼也沒吃。」

三個禮拜以內，他飛到紐約，沒有事前通知便出現在禮拜

二的禱告會。眾人都驚喜萬分。

在我心裡，我覺得神留他的性命是為了一個理由：讓他的見證上錄影帶，好使別人能夠知道他非比尋常的故事。最後，這個見證出現在布魯克林會幕詩班演唱會的錄影帶——「**麥迪蓀花園廣場現場演唱會**」（華納公司出品）裡，一段令人屏息的八分鐘片刻。他的見證在鹽谷現場拍攝，充滿能力，震攝眾人。這或許能解釋為什麼這個錄影帶，令我們驚訝地，列名全國排行榜（Billboard）最暢銷之一數月之久。

最後一次我看到李卡多是一年之後，他的體重再次下跌。「我好疲倦，」他說。「我已經與這個病戰鬥夠久的了；我只想去耶穌那裡。我現在可以去了，因為你已經讓我的見證上了錄影帶；再來的幾年，每個人都將會知道耶穌在我的生命中所做的。」在那之後不久，他便過世了。

恩典的秘密

李卡多的故事是神回應熱切禱告的證據。沒有人在祂的恩典之外。無論任何情況、無論在地球的哪裡，對神都不會太難。

使徒保羅因著自己生命得到恩典的好處，一生都在傳講、著述關於這個真理。他在羅馬書 10 章 13-15 節，將一連串的事件概括來描述新約的救恩：

因為「凡求告主名的，就必得救。」然而，人未曾信祂，怎能求祂呢？未曾聽見祂，怎能信祂呢？沒有傳道的，怎能聽

見呢？若沒有奉差遣，怎能傳道呢？

　　教會往往將這段經文與海外宣教連結。「我們今天需要好好奉獻一筆錢，好差遣傳道人出去。」他們這樣說沒錯，但那只是保羅整個順序的起頭而已。

　　因有*差遣*才有*傳道*，
　　因有*傳道*才有*聽道*，
　　因有*聽道*才有*信道*，
　　因有*信道*便引人*求告主的名*。

　　請注意，「相信」不是頂點。甚至教導我們「只有信」（*sola fide*）這個要理的最偉大的新教改革者，都傳講：如果只是理智的相信，無法帶來救贖的恩典。表現出真正活的信仰還要進一步，就是一個人全心全意呼求神。

　　關於教會生活，在教牧書信裡有清楚的指示。其中保羅告訴年輕的牧者，比如提摩太，應該如何做。這位使徒在提摩太前書2：1說得再清楚不過了：

　　「*我勸你第一*要為萬人懇求、禱告、代求、祝謝。」

　　為什麼？為什麼是第一，在所有的之先？*因為，我兒提摩太，我們要記得神的家要稱為禱告的殿。*

　　後來，在同章第八節保羅說：「我願男人無忿怒、無爭論，舉起聖潔的手，隨處禱告。」這便是基督教會的記號。

　　啟示錄說，當這二十四位長老最後跪拜在耶穌腳前，每個人都有一個金碗——你記得金碗裡是甚麼嗎？到底是甚麼香會

使基督如此歡喜？「眾聖徒的禱告」（啟5：8）。

想像你和我，或坐、或站、或跪著禱告，真正打開我們的心向神——我們所說的對祂是如此珍貴，以至於祂把這些當珍寶般的保存起來。

在你所住的社區，你知道那一個教會，一個禮拜裡有特定的一天，聚集所有的領袖，因著禱告是如此重要，是耶穌對教會的定義的中心，所以他們要專注來禱告？

美國一年設定一天為國家禱告日。如果我們的教會沒有規律的禱告會，我們有權力要求市長、參議員在電視攝影機之下，在這特殊場合出席嗎？如果禱告那麼重要，為甚麼不每個禮拜禱告？

為什麼今天基督徒會願意花20美元去聽目前最流行的基督徒藝術家的演唱會，而耶穌卻無法召集一群人？

對於我自己，我已經決定：既然禮拜二晚上的禱告會是這樣重要，所以我絕不連續有兩個禮拜二不在。如果那意味著我無法接受某處的演講邀約，那麼就只好算了。還有哪裡比這裡是我更想要在場的地方呢？

聖經有這一切的應許：

「你們祈求，就給你們；尋找，就尋見；叩門，就給你們開門。」（太7：7）

「你們尋求我，若專心尋求我，就必尋見。」（耶29：13）

「你們得不著，是因為你們不求。」（雅4：2）

我們豈不是該說：「該是我們停下來禱告的時候了，因為神說：當我們禱告的時候，祂要伸手幫助。」

令人傷痛的事實是，在我住的城市，以及芝加哥、費城、休士頓直到洛杉磯都一樣，轉向毒品的人比轉向基督的人多，沉淪毒品的人比受浸水禮的人多得多。有甚麼能將這個潮流逆轉呢？光靠講道做不到，課程也無法做到，更多的錢花在更多的輔導活動也做不到。惟有將神的殿變成迫切禱告的殿，才能有效的逆轉惡者在現今世代的勢力。

轉向毒品的人比轉向基督的人多。
沉淪毒品的人比受浸水禮的人多得多。

失落的一環

過去三十年中，關於婚姻的書籍比教會歷史過去兩千年以來的都多。但是你只要隨便問一位美國的牧師，就會發現有問題的婚姻比任何一個時代都多得多。我們有所有「如何做」的知識，但是家庭仍然瀕臨支離破碎。

一同禱告的夫妻結合在一起。我無意將事情簡單化，任何的結合都有其困難的時刻。但是當神說：「求告我，我就伸手幫助你，只要給我一個機會」時，神的話是真實可信的。

在教養兒女上面，同樣真實。我們或許擁有一堆教養兒女的書，並且花費我們的「高品質」時間與孩子相處。但是今天在教會，年輕人問題的百分比，比從前任何時代都多。並不是因為我們缺乏知識或不知道如何做，而是因為我們沒有呼求神賜下能力與恩典。

如果過去二十五年，我們只花一半的精力從事寫作、出版、閱讀、討論關於基督徒家庭……，然後將另外一半的精力用來為我們的婚姻與子女禱告，結果會如何？我確信結果會比現在的情況好得多。

又一次，J. B. Phillips 在這點上有所洞見：

> 聖靈對於人類的問題有一條捷徑。事實上，同樣的方式，耶穌基督道成肉身，直切過層層的傳統，暴露真正的問題；……因此在使徒行傳我們發現，耶穌的靈著重於人本身多於問題。與現在相比，許多複雜的問題在這裡不成為問題，因為無論男人、女人都在靈裡有合一的心志……。因為神的聖靈歷經幾世紀以來，絕對不會改變一點一滴，……對於人類今天所面對的眾多問題，祂已全然準備好，經由愛的湧流、智慧與體貼，以其捷徑來解決。（註2）

這就是為什麼希伯來人書信的作者，特別強調所有基督徒的生活中心：「所以，我們只管坦然無懼的來到施恩的寶座前，為要得憐恤、蒙恩惠作隨時的幫助。」（來4：16）這裡

沒有說：「讓我們來聽講道。」我們在美國已經把講道當作教會的中心，這是神從來不曾計劃的；真正盡職的傳道人是把人帶到恩典的寶座前，那裡才是真正恩典憐憫的源頭。

對於每一位傳道人與歌唱者，有一天神都要問一個問題：「你有沒有帶人找到行動的源頭——恩典的寶座？如果你只是娛樂他們，如果你只是騷騷他們發癢的耳朵，讓他們有一個溫暖舒服的時刻，你就有禍了。在恩典的寶座，我可以改變他們的生命。辛傑米，你是否只是向人賣弄你的聰明，還是你使他們饑渴的來就我？」

一個聚會若沒有讓人觸摸到神，這是甚麼樣的聚會？我們還未真的遇見神；我們還未遇見這位唯一有能力、慈愛，足以改變我們生命的主。

我很明白我們無法得到所有我們所求的；我們必須根據祂的旨意求。但是讓我們不要用神學理論，來逃避往往因為我們不求而無法擁有神要我們有的東西的事實。我們太少誠實的承認說：「主，我無法獨自處理這事，我已經撞牆32次了，*我需要祢*。」

老詩歌的歌詞說對了：

多少平安屢屢失去，
多少痛苦白白受，
皆因未將各樣事情
帶到主恩座前求。

　　神選擇禱告作為祂賜福的管道。祂將各樣的智慧、恩典和能力為我們擺設開來，因為祂完全知道我們的需要。但是要得到這一切的唯一方法，便是到祂所擺設的桌前，嘗嘗主恩的滋味。

　　來到祂所擺設的筵席前，稱為信心的禱告。

　　換句話說，神並非要強迫我們接受某種養生法。禱告不是一種型式主義。E. M. Bounds 寫道：

　　　　禱告理應成為一種屬靈習慣，但是當禱告淪為只是習慣時，便不再是禱告……。心裡所願使禱告熱切。當一個人強烈的願望在心裡點燃，他絕不會冷淡散漫……。心裡強烈的願望化作強烈的禱告……。忽略禱告是靈命死亡的記號。尋求神的心不再催逼時，人便離棄神。心裡沒有所願，於是不再有真實的禱告。（註3）

　　神向我們說：「禱告，因為我有各樣的美物要給你；當你祈求時你便要得到。我有一切的恩典，而你卻活在缺乏當中。所有勞苦的，來到我這裡。你們為什麼奔波勞苦？你們一切所需的，我都有。」

　　如果時局真如我們所說的壞，如果這一刻黑暗的世界真是越來越暗淡，如果在我們的家以及我們的教會，我們正面臨屬靈的爭戰……，那麼我們若不轉向這位供應無限恩典與能力的神，我們便太愚昧了。祂是我們唯一的源頭。若我們忽視祂，我們便是瘋了。

第二部份

離開神上好的道路

六

戰慄的時刻

想像 1960 年代中期一個一月的晚上，你坐在麥迪蓀廣場花園看大學籃球賽。羅德島公羊隊，我的隊，來紐約，假設是與福罕（Fordham）或是與聖若望（St. John's）賽球。你在開球幾分鐘前，靠近球場坐下來。

八、九分鐘之後，公羊隊以 7 比 23 落後。我們屢次被抄球，籃板球又屢射不中，放棄快速進攻。

教練於是叫暫停，我們集合，然後其中一個球員說：「這真有意思，不是嗎？能夠來麥迪蓀廣場打球！」

另一個說：「我真喜歡制服上的金色鑲邊。配上白色好醒目！」

第三個人向著他那坐在包廂座的娜麗姑媽猛招手。第四個則跑過去給他的女朋友一個親吻。

如果以上這些情況真的發生，你想卡福理教練會對我們怎麼說？「嘿！你們大夥好好看看得分板好嗎？我們被痛宰了！

等一下你們回到場上，我要你們一對一緊盯好，前方後方都一樣。不要再夢遊了！你們如果再不醒過來，這場球賽便輸定了！」

事實上他不會說得這麼客氣。

作為一個團隊，我們不能自欺欺人的相信自己做得好。得分板是無法逃避的信號，提示我們該改變我們的球賽計劃了。

今天的基督教世界沒有像我們所想的那麼好。我們往往把信心與幻想混淆。雖然希伯來書11：6宣告說：「人非有信，就不能得神的喜悅」；我們似乎越來越精於將每個所處的情況都看得很正面積極。一些傳道人歡呼道：「這是個絕佳時代，是神大大賜福祂的百姓的偉大時刻。」

同時，基督教研究調查專家喬治巴納（George Barna）的報告說，有百分之六十四的美國「重生」基督徒，以及百分之四十的「福音派基督徒」，也認為沒有所謂的絕對真理。換句話說，十誡可能是、可能不是正確的；耶穌基督不一定是通到上帝唯一的道路……等等。這一類草率的想法，「重生」還有甚麼意義嗎？當我們對於「成功」與「成長」趨之若鶩，我們已經歪曲、改寫了福音最基本的要素。

根據巴納的研究，當前教會的增長，四分之三以上都只是「轉會籍」似的增長，意即人們從一個教會轉到另一個教會罷了。儘管有許多基督教的廣播與高能見度的宣傳，全國基督徒人口並不見增加。事實上，在1996年的某主日，教會聚會參加率下降百分之三十七，是十年來的最低點──雖然美國人有百

分之八十二自稱是基督徒。

每個人都同意當前的文化非常紊亂、充滿暴力與忿恨。本該是地上的光與鹽的教會到底怎麼回事？

歡迎來到老底嘉

我要說我們麻煩大了。是抬頭看看得分板的時刻了。

除了一些例外，我們真像老底嘉的教會。事實上，我們變得這麼老底嘉式制度化，以至於覺得不冷不熱是正常的。任何教會只要為基督贏得幾個人，便覺得很了不起了。

我們真像老底嘉的教會。事實上，
我們變得這麼老底嘉式制度化，
以至於我們覺得不冷不熱是正常的。

耶穌對第一世紀末的基督徒所說的嚴厲的話，對於我們真是貼切：

「我知道你的行為，你也不冷也不熱；我巴不得你或冷或熱。你既如溫水，也不冷也不熱，所以我必從我口中把你吐出去。你說：我是富足，已經發了財，一樣都不缺；卻不知道你是那困苦、可憐、貧窮、瞎眼、赤身的」（啟3：15-17）。

換言之，他們正發出美妙的「積極正面的自矜」。他們正

自宣稱得勝蒙福。唯一的問題是，耶穌並不以為然。祂回答道：

「你說：我是富足，已經發了財，一樣都不缺；卻不知道你是那困苦、可憐、貧窮、瞎眼、赤身的……。凡我所疼愛的，我就責備管教他。所以你要發熱心，也要悔改」（啟3：17, 19）。

的確是強烈的語氣。耶穌總是強烈的對付那些祂所愛的。「焉有兒子不被父親管教的呢？」（來12：7）希伯來書的作者如此問道。

請注意：老底嘉人是神的聖徒，承受一切應許的。他們是基督身體的一部份——唱詩歌，禮拜天敬拜，享受肉體上的好處，無疑地看他們自己比外邦的鄰人公義；然而他們卻在被吐出來的邊緣。好一個警鐘！

第一次的攤牌

每當基督的身體出了問題——不管是由於自己的疏忽，如同老底嘉，或是因著撒旦特別的攻擊——都必須採取強烈的行動。我們不能只是虛坐著，期望問題自行解決。

我們可以從研究初代教會如何解決問題獲益。

門徒們已經從耶穌享受了三年的教導，他們已經從這位大

師領受門徒訓練；但是只靠教導永遠不夠，縱使教導是直接來自耶穌。因著沒有聖靈的恩膏，這些門徒在耶穌被抓的那一夜表現的像一群懦夫。

一旦在五旬節那一天領受聖靈之後，他們成了得勝者，成了教會的戰士。因著神的靈在樓上恩典的啟示，門徒與眾人有了第一次面對面的接觸。他們當中最大的失敗者彼得成了那天的講員。他的講道絕不是甚麼解經鉅著；但人們卻深深的被感動──根據使徒行傳2：37，眾人被他充滿恩膏的話感動，「覺得扎心」。那天有三千人一起加入教會。

那一個教會？浸信會？長老會？五旬節會？那個時代沒有這些標籤──而在神的眼裡現在仍然沒有，祂不理我們分門別類的規矩。當祂往下看時，祂只看到由所有重生的基督徒、寶血洗淨的信徒組成的基督的身體。祂唯一看到的小單位是因著地理位置產生的地方教會，其他的分別都是不值一顧的。

我發現很奇怪的是，基督徒努力熱切的為以弗所書四章提及的「一主」（非多神）、「一信」（救恩唯一的途徑是經過基督）來分辯；但是當談到「一個身體」（4-6節）時，我們便變得異常沉默了。然後我們開始在這一點上從歷史以及其他地方，為教會裡羞恥的分裂找各種藉口。

初代基督徒充滿活潑的能力。他們合一、禱告、被聖靈充滿，以神的方式出去做神的工作，並且看到榮耀神的結果。那似乎是黃金時刻，真真實實如同耶穌所描述的──教會，陰間的權柄不能勝過她。

有一天，發生了一個公開的神蹟———一個跛腳的得醫治，記載在使徒行傳第三章———這件事又帶來了一大群的群衆，彼得又講了一次道；又有幾千人信基督。

然後第一次的攻擊臨到。祭司、撒督該人、守殿官「因他們教訓百姓，本著耶穌，傳說死人復活，就很煩惱，於是下手拿住他們；因為天已經晚了，就把他們押到第二天」（使徒行傳4：2-3）。

耶穌已經警告過他們艱難的日子要來，現在終於來了。雖然後來的攻擊以假師傅似是而非的教導以及內部的分裂出現，但這次的攻擊卻是正面的、身體的攻擊。

然而，一件令人驚異的事情正等著猶太領袖們：「他們見彼得約翰的膽量，又看出他們原是沒有學問的小民，就希奇，認明他們是跟過耶穌的」（徒4：13）。這些漁夫看起來是老實人，很誠懇———與我們今天所常看到的恰恰相反：今天我們的講壇顯然大大的磨鍊精緻了，也顯然失去能力了。

這些使徒被警告不得再題耶穌的名後被釋放出來；他們的反應如何？他們做甚麼？

他們沒有向政府陳情，他們沒有摩拳擦掌的控訴不公，他們沒有抱怨失去言論自由。他們其實可以將此事成立案件去討公道；羅馬帝國敬拜許多神祇，他們不會介意耶穌這位神的。使徒們應該有許多事可以做，去左右公衆的輿論。但是對於他們，這不是一件政治問題———這乃是屬靈問題。他們很快的召集信徒開始禱告，立刻轉向他們能力的根本源頭。

他們這樣禱告：

「主啊，祢是造天、地、海，和其中萬物的……。他們恐嚇我們，現在求主鑒察。一面叫祢僕人大放膽量講祢的道，一面伸出祢的手來醫治疾病，並且使神蹟奇事因著祢聖僕耶穌的名行出來」（徒4：24, 29-30）。

這正是歷代以來先知教導他們的：當遇見攻擊、遇見新的挑戰，不管在何種情況、甚麼時刻，呼求主的名，祂便幫助你。

聽起來似乎情況變得很活躍，也許有些吵雜：「就同心合意的、高聲向神說」（徒4：24）。當我們唸這些章節時，重要的是不要強將之放進我們自己的傳統窠臼裡。若我們出席那天的禱告會，你我會覺得自在嗎？這不重要，這是前進中的教會，為我們今天提供了一個聖靈奮興的楷模。

這個禱告是使徒行傳裡所記錄多於一句話的禱告。毫無疑問的，這只是當天這群人用許多不同的話禱告的摘要，然而卻提供我們對於初代教會禱告生活的驚鴻一瞥。就如同我們對於耶穌在花園的禱告（約17）那般的敬虔嚴肅，我們也該來檢查一下這裡倒底說些甚麼。

這群人祈求膽量，豈不很奇怪嗎？我們可能期待他們禱告說：「主啊，幫助我們找到一個安全的避難所，我們需要『伏低』躲幾個禮拜，等到這陣熱潮過去。我們必須避開人群，如

果祢能，懇求祢叫公會把我們忘了吧⋯⋯。」

事實卻全然不是這樣。不但完全沒有求主幫助他們撤退下來，反而求神幫助他們勇往直前。「撤退」的想法全然不在他們心上。

神如何回應他們呢？

「禱告完了，聚會的地方震動。他們就都被聖靈充滿，放膽講論神的道」（徒4：31）。

演唱家葛史提（Steve Green）第一次來布魯克林會幕教會演唱，在聚會開始前，我們與教會的牧師們聚在我的辦公室禱告；我們同聲禱告求神那天在我們當中。

當我們睜開眼睛，史提臉上的表情有點奇怪。「我剛剛感覺的那個震動是怎麼回事？」他問道。「有火車在這附近，還是真的⋯⋯？」

我解釋道，照我所知，這震盪不是聖靈的力量引起的——雖然過去神曾有過這樣的作為！事實上，D線地下鐵道剛好在我們的建築物下面經過。

然而那天在耶路撒冷，初代教會所經歷的震動完全是聖靈的工作。在那個禱告會，神的大能以一種前所未有、新鮮的、更深刻的方式臨到。這些人已經在五旬節那天被聖靈充滿（徒2），但是這個時刻他們感到一種新的需要，神便注入新的能力來滿足他們。

我非常明白，今天的基督徒對於聖靈的充滿（靈洗、澆灌）究竟是隨著救恩而來，或是分開、隨後的經驗，有分岐的意見。長期、密集的討論一直在進行。不管你我相信甚麼，讓我們承認這段經文讓我們看到：基督徒確實經歷了一個新的充滿。使徒沒有宣稱他們已經擁有所需的一切。現在他們面臨攻擊，他們從聖靈接受新的能力、新的勇氣、新的火。

我們的靈力庫存的確隨著時間而漸漸消失。每天的生活、分心的事務、以及屬靈爭戰，都是消耗的原因。如同保羅在以弗所書 5：18 所說的，我們「要被聖靈充滿」。

有任何人敢直率的說，老底嘉教會在耶穌的信裡
對他們責備的那一刻，是一個聖靈充滿的教會嗎？

地位神學基本上是好的，比如說「無論此刻我感覺如何，我都是神的兒女」。但是如果我們把這樣的想法延伸成為「我這一輩子從此都被聖靈充滿」，那麼我們便是欺騙自己了。

有任何人敢直率的說，老底嘉教會在耶穌的信裡對他們責備的那一刻，是一個聖靈充滿的教會嗎？他們是基督徒，這一點是可以確定的；但是他們實在急切需要一個使徒行傳第四章式的禱告會。

柏安德烈（Andrew Bonar）在 1880 年十二月十三日那天的日記上這樣寫著：「我渴望不斷的、更多的被聖靈充滿，見到我的會眾在話語之外被感動、被溶化，如同復興的時候一般

——『在他們聚集聚會之處大震動』，因為主的大能臨在當中。」（註1）

　　無論我們稱自己是典型基督徒、傳統基督徒、基要派基督徒、五旬節基督徒或靈恩派基督徒，我們都必須面對自己缺乏真實能力的事實，而呼求聖靈新的充滿。我們需要神的疾風將我們從昏睡中喚醒。我們絕不能再躲藏在神學的爭論背後；這樣的日子太黑暗也太危險了。

勇往直前

神的工作只能靠著神的大能來進行。教會是一個屬靈的有機體，打著屬靈的仗，只有屬靈的能力能夠使之照神所命定的來運作。

　　關鍵不在於金錢、組織、聰明、教育。你我都看到彼得所看到的結果嗎？我們是否如同他一樣，帶領成千上萬的人歸信基督？如果沒有，我們必須回到他所擁有的能力源頭。無論是社會或文化、城市或鄉村，神從未缺乏能力使用願意被祂所用的人，來榮耀祂的名。

你我都看到彼得所看到的結果嗎？
如果沒有，我們必須回到他所擁有的能力源頭。

　　當我們誠心的轉向神，我們會發現祂的教會總是*向前進*，而不是*向後退*。我們永遠無法退守或適應這個世界所期待、要

求我們的。我們必須一直保持作戰、進攻、勇猛的姿態。

這正是布威廉將軍（William Booth）以及早期救世軍進駐倫敦貧民窟的特徵；是早期宣教運動，比如莫拉維夫弟兄會（Moravians）的特徵；也是戴德生在中國的特徵；是美國拓荒復興的特徵。這些基督徒不是一群蠻牛，但他們確是無畏的以愛心將真理講出來。

在我們所熟知的大衛與歌利亞的故事裡，有一段很精彩的片段，就是當這個巨人看到他年幼的對手時，他表現得很厭煩，大嚷道：「你拿杖到我這裡來、我豈是狗呢」（撒上17：43），歌利亞明顯的被侮辱。「非利士人又對大衛說：來罷！我將你的肉給空中的飛鳥、田野的走獸喫」（44節）。

大衛喪膽了嗎？他選擇了策略性的後退，躲在大樹或岩石後，想或許可以多耽擱點時間嗎？

一點也不。

「非利士人起身、迎著大衛前來。*大衛急忙迎著非利士人，往戰場跑去*」（48節）。

這一幅景象，正是神要我們今天表現出來的：**奔向戰場！**

大衛的武器真是可笑：一個彈弓加五顆石子。但是沒有關係，神仍然使用軟弱人手中愚笨的武器，來建立祂的國度。靠著他的禱告與神的大能，我們能夠成就那無法想像的事情。

布魯克林會幕詩班唱了一首歌，正好抓住了神喜好使用軟弱的來使強壯的羞愧。這首歌這樣說：「如果祢誰都可以用，那麼，主啊，祢便能使用我。」魏肯尼是我們的副牧師之一，

有許多次他便顯示出這樣的信心來。許多年前，這位敬虔灰髮的非裔美國人，在教會開始了禮拜五晚上的通宵禱告會。然後他組織了一個禱告團隊，在教會委身於繼續不斷的向主呼求禱告。

不久，這個禱告團隊開始每週禱告五個晚上，從晚上11點到早上6點。如今他們每週在教會禱告七天，每天24小時，每梯次三小時或更久。我們所收到的每個要求代禱的事項，都寫在一張小卡片上，在未來的三十天便將此事帶到主的面前。

我還記得魏牧師以父親的口吻對我說話的那天（他至少比我年長十五歲），「牧師，你知道我們還沒看到神做祂所要做的。你一直盡心的傳講，但是我們需要看到更多的人認罪悔改，更多神的作為彰顯在我們的聚會當中。」

我同意也聽從了，正想著他下面要說些甚麼。

「我是很認真的，」魏牧師繼續說。「每場聚會可能至少有半打的愛滋病患者在我們當中。我們有毒癮君子，我們有破碎的婚姻、心碎的母親、被這個城市搞得強悍剛硬的年輕人。他們真的需要主。」

「我要禱告團隊開始*在教會的聚會中*禱告，在你講道的時候。我們需要看到神在我們當中有所突破。」

我給了魏牧師我的祝福。一直到今天，他有二十個人左右聚在一個房間，為我們四場聚會的每一場禱告——每個禮拜天總共有八十個代禱者。他們在聚會前十五分鐘先與牧師們禱告，然後一直持續到所有的事情結束之後。有時候，晚上十點

半，在我離開教會時，我還聽到他們仍然在禱告。

　　這樣的努力開始之後的第一或第二個禮拜天，我正在辦公室準備下午的聚會開始之前，從暖氣管聽到樓上的房間傳來的噪音——原來是人們在禱告的聲音。聚會才剛開始，禱告團隊已經開始呼求神。

　　有人大概剛好坐在暖氣口，因為我清楚的聽到一個女人的聲音說：「神啊，保護他、幫助他，使用他今天宣告祢的話。叫人認罪悔改，改變人，主啊！」

　　我的心跳開始加快，我的靈開始與他們一起上到施恩座前。幾分鐘之後我離開辦公室，心裡想著：神今天下午到底要在我們中間做甚麼。

　　禮拜堂一如往常擠滿人。詩班唱詩，我盡心傳講神的愛。「神多麼願意你來到祂面前」，在聚會將近結束時我這樣請求。「拒絕神的愛，你至終必走入可怕的永恆。祂在你後面追逐，想要將你摟入懷抱，想要得到你的注意。這愛、這樣憐憫的愛是如此真實。祂不願一人進入死亡，祂要每個人都認識真理。不要拒絕神的愛！不要往滅亡的道路走！那是注定滅亡的路！」

　　當我的信息即將結束時，我移到講台的一邊，閉上眼睛。我繼續邀請人來到前面回應神的愛。我繼續在講話，完全沉浸在對於不認識基督的人的愛中……。

由於我的眼睛閉著，所以沒有看到，
這個人右手正握著一柄鋼製灰色點38口徑的左輪槍，
對著我瞄準！

一個大約25歲的猶太人，穿著一件淡褐色的褲子、淡綠色的上衣，站在樓下最後排，開始擠到中間的走道。由於我的眼睛閉著，所以沒有看到，這個人右手正握著一柄鋼製灰色點38口徑的左輪槍，對著我瞄準！

他走上走道，朝著我來，槍對著我的胸膛。會眾當中很多人沒有注意到，因為他們像我一樣閉著眼睛。看到他的人都嚇僵了，連招待人員都僵住了。當他們開始行動時已經太遲了——這個人已經跑到台上來了。這整個過程我都繼續不斷的懇求眾人降服於神的愛，完全不知道自己的性命處在極危險的情況當中。

凱蘿正在我的後面彈鋼琴，她的眼睛睜得很大。慌亂當中她尖叫我的名字兩次：「吉米！吉米！」我沒有聽到她。我正忙著勸人們來到耶穌面前——似乎，我也正在走向耶穌。

凱蘿幾乎確定她將要目睹她的丈夫被血淋淋的謀殺——之後？這個人會不會轉向她？

結果，他甚麼都沒做。他直走到我身邊，把武器丟在講台上。忽然我聽到啪——啦——碰撞的聲音，我睜眼眼睛——**嚇然看到一柄槍在我的講台上！**

　　這個人開始往回跑，通過講台，走下階梯，走回走道。我唯一的本能是把他追回來，並叫道：「不，不——別跑！没關係。等一下！——」

　　他跌成一堆，開始哭泣，以一種呻吟的聲音哭叫：「耶穌，幫助我！我無法繼續下去了！」

　　那時候招待員已經騎在他身上，不是要傷害他，只是要控制住情況並開始為他禱告。同時，整個教會一片混亂。有的人在哭，有的人大聲禱告，有的人沉默的呆坐著。

　　過了一會兒我走回講台，深呼一口氣，然後拿起那柄槍——不知道槍已上了子彈——講了一句話，對自己多於對眾人講：

　　「看，神的愛果真能夠讓人降服。」

　　突然，人們開始從建築物的各個角落衝到台前。神已經將我的信息的最後一點附上了。那天我們豐收了許多貧窮的靈魂，來就慈愛的基督。

　　當我看著這樣的回應，我的心思回到幾個小時前那個女人的禱告：「主啊，保護他，今天……叫人認罪悔改、改變生命……。」

　　那個人，由於心理不太平衡，説他未曾想要傷害我。他本來計劃要傷害某個搶他女友的人，卻在半途走進教會的聚會裡來。他開始非常強烈的感到心裡的恨，便對自己說：*我一定得丟棄這把槍，我必須把槍交給那個傳道人*。

　　由於禱告團隊直接衝著危險而來的禱告，救了一條命。神

的國度得到大勝利。由於那次聚會的結果，有十幾個人受浸。神的大能證據確鑿，祂的工作也跟著而來。

事後

當人們鬆了一口氣並為這事的結果慶幸時，我太太卻仍陷在震驚當中。那個禮拜天她便不太說話。隔天早晨，當我們在喝咖啡時，她開始發洩她的感覺。

「吉米，是不是有一天這就是我們的結局？是不是有一天，人們就這樣走上前來，在聚會時把你殺死？」

「我們一點也沒有保護！招待人員在哪裡？安全人員在哪裡？昨天我們很可能就這樣被殺死。」

我試著安慰她，並跟她解釋：「不會的，凱蘿——這一次主既然保守我們，祂將來還是會保守我們。招待員也實在沒有機會阻止他」。但是我的話攤軟無力。

整個禮拜凱蘿都受著折磨，被懼怕所壓迫。她沒法睡覺。我發現她老望著前面發呆，一直在心裡一次次的重演禮拜天下午的那一幕。

那個禮拜五晚上，凱蘿勉強照舊帶領詩班練習。照慣例，在練唱前先是半個鐘頭以上的禱告與敬拜。

聖靈向一位詩班團員說話。她走出來站到凱蘿身邊，拿起麥克風說：「你知道嗎？我相信神剛剛向我顯示，我們應該將凱蘿擺在主面前來禱告。你們要不要與我一起為她禱告？」

他們便團團圍住凱蘿，按手在她身上，開始迫切禱告。就

在那一刻，五天以來一直在我太太心裡醞釀的，以及我的安慰、輔導無法達成的，神都辦成了。凱蘿完全從懼怕當中得釋放。

當我們認真的要從神支取能力時，奇妙的事情便會發生。甚至當我們變得散漫冷淡、不冷不熱，基督仍然說：

「看哪，我站在門外叩門，若有聽見我聲音就開門的，我要進到他那裡去，我與他、他與我一同坐席……。聖靈向眾教會所說的話，凡有耳的，就應當聽」（啟3：20, 22）。

這些溫和的話，往往被佈道家用來對那些還未認識基督的人說，其實卻是對耶穌才剛責備的老底嘉基督徒說的。雖然祂為他們的昏睡、冷淡傷慟，卻仍舊向願意打開心門的人，提供祂那更新的愛與能力。我們願意嗎？

七

新奇的誘惑

廣告世界裡所有的人都知道兩個神奇字眼的魅力：「自由！」與「創新！」。不管是在超級市場、報紙、廣告招牌上都可以看得到；消費者也必定有所回應。

在今天的教會，我們也成為「創新」吸引力下的掠物。福音古老的真理似乎不再那麼值得一顧。我們迫不及待想要最近的、最大的、最新的教導與技巧。牧者們更是不遺餘力的在找一條捷徑，或是一個能使我們的教會燃燒起來的機動性的新策略。

記載在使徒行傳第四章，早期基督徒們的禱告，三個基本要素正從我們當中逐漸溜走：

「一面叫祢僕人大放膽量講祢的道，一面伸出祢的手來醫治疾病，並且使神蹟奇事因著祢聖僕耶穌的名行出來」（29,30 節）。

　　我要特別點出第一個要素：「叫祢僕人大放膽量講祢的道……。」

　　在第一代的基督徒心裡，他們一點也不疑惑要宣告**甚麼**。不需要尋找新奇的信息，他們從主耶穌所聽來的平實的福音，被認為是最恰當不過的。

　　不久之前，在一個大型研討會中我深感驚訝：當聚會中休息的時候，我與其他幾位講員閒聊，我們的話題講到今天的教會所強調的一些事情。我很快發覺，我簡直不知道他們討論的是甚麼宗教。

　　有一個人說，每個信徒都應找出他們歷代祖先——甚至追溯到幾個世紀以前，了解他們是否參與過任何靈媒聚會，這是很重要的事；除非那個「世代的咒詛」除去，否則我們就無法作一個成功的基督徒；他宣稱甚至到我們的子孫都還會有危險。想想看！一個得救的人、一個新創造的人，「祂救了我們脫離黑暗的權勢，把我們遷到祂愛子的國裡」（西1:13）——卻還在撒旦的咒詛之下！

　　我想到在布魯克林會幕教會裡有一些海地人，他們是從一個巫毒教盛行的地方來的。如果這個在研討會裡的人的教導是正確的的話，這些海地人便有一堆功課待做了——得找出他們那一個高曾祖母曾經涉足邪教，然後按步打破那一長串的捆綁鎖鏈。

　　我真是不懂為什麼。保羅不是已在他的信裡說得很明白了嗎？第一世紀巫術是到處可見的，難道哥林多、加拉太、羅馬

的信徒都得去探索他們的家族史，找出撒旦咒詛的蹤跡嗎？

在另外一堂聚會，另一位講員說：「屬靈爭戰有三個層次：與每天一般的魔鬼爭戰；與邪教，比如星象、新紀元運動對峙；最後是地域性策略層次的爭戰，與控制整個地區的邪靈爭戰。甚至使徒保羅都未曾瞭解這第三個層次，也不曾實際經驗過這樣的事工。」這位聰明的教師甚至超越新約裡偉大的使徒保羅了！

我無法不想到，布魯克林區的惡魔名字是甚麼？邪惡的影響明顯充斥在每個街角。我真的能夠靠一聲斥責就打倒惡者，將整個地區的邪惡勢力打敗嗎？

新約裡又有那裡講到這樣的策略？彼得曾經捆綁約帕或該撒利亞的邪靈嗎？保羅曾花三年的時間在以弗所，這是一個偶像林立的中心，他卻沒有提到「捆綁女神亞底米的靈」，而她的廟在那個城市是古代世界七大奇觀之一。在使徒行傳第四章，使徒並沒有求問那個控制耶路撒冷的邪靈的名字。

凱蘿與我傷痛失望的回到旅館。多可悲，那些年輕牧者熱切的寫下這些異樣的教導，希望能夠藉這些聖經裡所沒有的教導與技巧，點燃他們在掙扎當中的教會。

我找不到任何證據，證明這些講員實際運用這些觀念在地方教會的層次當中。他們的書籍、卡帶非常暢銷，但我卻不明白為甚麼他們沒有到布魯克林或是其他黑暗的地區，將他們的教導實際演練。

> 我恐怕這只是一些「技術人員」或「改造者」
> 或是「有創意的人」的作品，他們覺得有需要改革、
> 翻新來幫助神的國度。

我恐怕這只是一些「技術人員」或「改造者」或是「有創意的人」的作品，他們覺得有需要改革、翻新來幫助神的國度。不幸的是，美國的道德氣候與教會的屬靈氣溫，證明這些新奇東西是無用的。

魔鬼仍舊猖狂

如果今天的教師與作者真的發現一些新的神學，我不禁要問一個問題：

如果魔鬼果真已多次被基督徒捆綁，那麼為什麼今天在地上魔鬼仍舊如此猖獗？幾年前一個有名的傳道人到舊金山，租了一個運動場，在晚上展開了一場「屬靈爭戰」，宣稱要捆綁、斥責城市裡每一個邪靈與魔君。第二天，他與隨員便飛回家了。舊金山因此而成為比較敬虔的地方了嗎？

聖經談到*抵擋*魔鬼多於*捆綁*牠。彼得前書 5:8-9 說:「務要謹守、儆醒，因為你們的仇敵魔鬼如同吼叫的獅子，遍地游行，尋找可吞喫的人。你們要用堅固的信心抵擋牠，因為知道你們在世上的眾弟兄也是經歷這樣的苦難。」為什麼使徒彼得不直接捆綁那吼叫的獅子，解決這個問題呢？

聖經談到抵擋魔鬼多於捆綁牠。

耶穌的確在馬太 12:29 談到，要先捆綁那壯士，才能搶奪他的家。祂講這個比喻，是緊跟著祂從一個既盲又啞的人身上趕出鬼之後。這裡的重點是一個人已經得釋放，並沒有提到宇宙性的問題。這經文講的是，一個壯士——撒但——已經被另一個更有力的壯士——基督——逐出去。

一個相似的真理，也可以應用到尋求惡者的名字上。在耶穌的事工當中，有幾十次與撒但的接觸，祂只有一次問牠的名字（可 5:9），而這一次也只是跟這個人有關係罷了，跟整個地域並沒有關係。再說，使徒從來不曾教年輕的牧者提摩太或是提多問惡者的名字。

請不要誤解，我完全相信今日撒但侵入人們的生活當中，而且我們必須與之對抗。我在事工當中，曾經多次與牠對抗。一個禮拜二的晚上，教會的兩個會友帶了一個十幾歲的女孩子來參加晚上的禱告會，他們說這個女孩有毒癮，需要被釋放。他們就只告訴我這些。我並沒有想太多，這樣的事經常發生（我們的會友都知道，把還沒信主的人帶到禱告會來，是再好不過的了）。

當聚會進行約半小時，我們敬拜一陣子之後，我說：「這裡有一個女孩是會友帶來的，希望大家為她禱告，她陷在毒癮當中。」

　　會友們帶著這個矮小的南美西班牙裔的女孩走到前面來。她看起來兩眼呆滯無神——我以為是毒癮的作用。她的名字是黛安娜。

　　我一如每個禮拜二晚上，站在台下，與人們一起，在中央走道的最前面。突然，我開始緊張起來；我屬靈的警鈴開始大作，告知我事情不對勁——有事要發生。

　　我注意到，我的右邊有一位我認識的佈道家當天晚上來訪。我對她說：「艾美，很高興今晚看到妳來，能不能請妳來與我為這位年輕女士禱告？」當她從座位上起來時，聖靈臨到她身上，她也有同樣的感覺。我們都突然為某種未知的原因，處在「緊急警戒狀態」當中。

　　一位副牧師加入我們，我們按手在黛安娜身上開始禱告：「哦，耶穌，幫助我們，」我安靜的說。

　　就像子彈一樣，一提到耶穌的名字，激烈的狂怒與尖叫立刻爆出來。這個只五呎一吋高的女孩掐住我的喉嚨，將帶她上來的兩個朋友往後甩開。我還沒搞清楚發生甚麼事之前，我整個身體已經被她摔到講台的邊緣上了。黛安娜把我的白襯衫的領子撕下來，就像撕一張面紙一樣。一個恐怖的聲音從她的深處開始狂吼道：「你們永遠得不到她！她是我們的！離開她！」然後開始罵髒話。

這個只五呎一吋高的女孩掐住我的喉嚨，
在我還沒搞清楚發生甚麼事之前，
我整個身體已經被她摔到講台的邊緣上了。

在會眾裡的一些人開始大聲禱告；有些人已嚇得透不過氣來，有些人蒙著眼睛。同時，幾位執事跳上來，試著把她從我身上拉開。以她小小的個子，竟然以如此大的力氣與我們所有的人纏鬥。

最後我們終於設法制伏她，那位佈道家艾美開始迫切禱告。我靠近這女孩，開始向這靈來說話：「奉耶穌的名住嘴！從她裡面出來！」我命令牠。

黛安娜的眼睛翻白，從不到一呎的距離，兩次直接向著我啐唾沫在我臉上。教會開始熱切的呼求神的幫助。明顯的，我們不是在與某種想像的「憤怒的靈」爭戰，這是一個非常典型的鬼附的案例。

幾分鐘之後，這個女孩便得到完全的釋放。她停止咒罵，身體軟和起來，於是我們放鬆緊抓她的手，然後她溫和的站起來，舉起手來開始讚美神。很快的，她開始與眾人唱歌，「哦，耶穌的寶血！洗滌我們白如雪，」淚水從她兩頰流下來，把她的妝都弄壞了。

黛安娜已經在布魯克林會幕教會服事主十年了。最近她與一位年輕人結婚，兩個人在大半還未信主的親人面前，為他們

的信仰作了強有力的見證。今天她是一位很好的基督徒，愛主並願意單單事奉主。

黛安娜允許我講她的故事，來解釋我們必須對抗撒但的活動。她的經歷非常獨特或奇異嗎？若照新約記載的標準來衡量，並不奇特。這「就是基督教」，是耶穌與使徒經常處理的。

但是我們不應該期待在屬靈國度裡發現甚麼捷徑。我們難道忘了，當耶穌差祂十二個門徒出去時，祂特別「給他們權柄，能趕逐污鬼」……然而祂也告訴他們，有些城的人並不歡迎他們。「因為他們要把你們交給公會，也要在會堂裡鞭打你們」（太 10:1, 17）。如果這十二個門徒，只要那麼一下子便可以捆綁整個城市的邪靈，耶穌豈不會告訴他們嗎？這樣不就能使基督徒避免許多衝突！

相反的，耶穌在啟示錄提到了各個教會，對於他們所面對的敵對給予嚴厲的警告：

向士美拿：「你將要受的苦你不用怕。魔鬼要把你們中間幾個人下在監裡，叫你們被試煉；你們必受患難十日。你務要至死忠心，我就賜給你那生命的冠冕」（啟 2:10）。基督警告他們所處的環境相當險惡，卻沒有給一個快速解決的辦法。

向別迦摩：「我知道你的居所，就是有撒但座位之處。」再來祂並沒有說：「*把牠踢出去！捆綁牠！*」沒有。耶穌只平靜的繼續說，「當我忠心的見證人安提帕在你們中間、撒但所住的地方被殺之時，你還堅守我的名，沒有棄絕我的道。」

（啟 2:13）

　　這位全知的萬王之王、萬主之主，握有死亡與陰間的鑰匙，告訴基督徒要經過這場仗。在這些信裡，耶穌描述在神至高無誤的計劃裡，我們無法完全明白，撒但被允許在其中做甚麼。但是，信徒要靠著這老式的、屬靈的堅忍，勇往直前。

　　今天的人為創新的問題是，這些作法往往無法像他們所宣傳的，製造出令人印象深刻的結果來。他們並沒有——就我所知，產生出大量的人信主、受浸，或成為強壯、禱告的教會。世界上有那一個城市，如同這些美妙的言辭所宣稱的「被神得著」？如同保羅所說的：「不願意分外誇口」（林後 10:13），容讓聖靈製造出不辯自明的結果，豈不是比較有智慧嗎？

　　某些人說，邪惡的勢力會附在某些地區，又有些人宣稱某些是神「新的恩膏」的所在；某些城市被說成是受揀選，特別讓聖靈傾倒下來的地方。這些到底寫在聖經的什麼地方？

　　暗示人們必須旅行到那個特定的教會，去接受神所要給他們的，是完全不合聖經的。布魯克林會幕教會或是其他的教會，都沒有特別的恩膏，能夠藉著按手來傳給人。使徒行傳裡，也找不到人們旅行到耶路撒冷或是其他的城市，到「行動之處」去。

　　在新約裡面，我們所能找到的是「你們親近神，神就必親近你們」（雅 4:8）這樣的勸誡；責任乃是在我們的身上。在紐約或是舊金山，如果有足夠的人全心呼求神，這些城市就會

因復興而全球知名。神對於地理位置沒有偏好。

我們很容易偏離「專專等候神」這樣的呼召，我們常常從簡樸的福音被引開。在使徒行傳第四章，使徒只想傳講神的話；對於現代人的耳朵，這個信息似乎太微小了，難道沒有更多、更偉大、更新奇的嗎？

面對這樣一個蔑視基督救恩的世界，我們可以選擇在神面前謙卑自己，回到最根本……或是繼續自我陶醉。地方教會要燃起神的生命，就在於回到平衡點。

不再變把戲

神的大能在一個城市裡動工的例子，沒有比使徒行傳11:20-21所記載的更好的了：「但內中有居比路和古利奈人，他們到了安提阿，也向希利尼人傳講主耶穌。主與他們同在，信而歸主的人就很多了。」。

由於這樣的大豐收，因此巴拿巴便從耶路撒冷出發，前去探勘。「他到了那裡，看見神所賜的恩就歡喜，勸勉眾人立定心志、恆久靠主。這巴拿巴原是個好人，被聖靈充滿，大有信心。於是有許多人歸服了主」（徒11:23-24）。

這些人到底是誰，竟開拓了一個大有能力的教會，甚至超過在耶路撒冷的母會？我們無從得知他們的名字，我們不知道他們的方法，我們不知道他們是千禧年前派或是千禧年後派，或是千禧年中派。但我們卻知道幾件事：他們「傳講主耶穌的福音」，並且「主與他們同在」（20-21節）。

　　這個教會成為第一個真正多種文化的教會，由多種文化的領袖領導，根據使徒行傳13:1——稱呼黑人（譯註：尼結[Niger]即黑人）的西面，一些猶太人領袖，一些希臘人，以及與希律一起長大的馬念（這點可能會使他被人懷疑吧！），以及其他一些人。然而他們卻以一種超越文化的合一，形成一個非常有能力的同工模式。

　　第一世紀的猶太人與外邦人中間的敵意，甚至比今天的種族鬥爭還大。神直接面對這樣的問題，因為祂就是要這樣建立祂的教會。

　　在紐約市，種族之間的問題現在比十年前更加嚴重，許多教會充滿一股殺氣騰騰的氣氛。我們非常需要神的愛來勝過這樣的緊張狀態，就如同祂許多年前在安提阿教會所做的。

　　沒有任何新奇的教導，有辦法翻轉這個詭計，沒有一個時尚的捷徑、沒有任何戲法能夠打敗撒但。

　　有一個人告訴我：「你應該要去拿一張布魯克林的地形圖，才能找出布魯克林最高的點，然後到那裡去禱告，敵擋這個地域的邪靈。」

　　我要說：「弟兄啊，這充其量只不過是舊約裡講的巫術罷了。以利亞的時代，那些拜偶像的到高處（譯註：即邱壇）去，記得嗎？」我猜他們覺得，這樣他們能夠取得一個好角度與魔鬼打交道。我如果帶著全教會的會眾，上到世界貿易中心大樓第一百零一層的觀望中心——我們看到的布魯克林的景觀可能會很好，但是卻無法令神印象深刻。魔鬼也不會受到什麼

影響。

另外又有人說：「釋放神的能力的關鍵，在於一面唱歌走過你所住的城市街道。辦一個遊行，做一些旗幟，並且一面宣告神的主權。」基督徒可能會享受這樣的一個活動，但真的會對社區帶來甚麼改變嗎？

還有人說：「斥責那惡者，臉朝北，一面雙腳踏步；這樣便能得勝。」

在凱蘿與我度假當中，我們在電視上觀看了一個主日敬拜的節目，敬拜當中牧師強調屬靈爭戰。他站在講台上，*身上穿著軍裝！*我猜他大概覺得這樣就能嚇走魔鬼。我們真的不知道該哭還是該笑。

有誰能向我指出來：新約那裡教導我們，我們身體的動作或是如何穿戴會帶來任何應允？當怪異的動作成為一個所謂的復興或是更新的記號時，我們已經丟棄了聖經的根基；這些只會帶來問題。

讓我們丟棄新奇。如果我們的禱告足夠，神將會成就只有祂才能做的事。祂要如何做、甚麼時候、用甚麼方式，都在於祂。耶穌的名、祂寶血的能力，以及信心的禱告，幾世紀來並沒有失去能力。

1820年代，當芬尼（Charles Finney）在紐約的羅契斯特佈道時，一年裡有十萬多人信基督。「整個社區都被攪動」，一個目擊者這樣說。「酒店關門；人們守安息日；聖殿裡充滿歡喜敬拜的人……甚至法庭與監獄都看到這個祝福所帶來的影

響，罪案明顯下跌，法庭無事可幹，之後的幾年監獄幾乎是空的。」（註1）

我可以保證，芬尼沒有「捆綁醉酒的靈」或其他；他只是以神的方式做神的工作，然後整個城市便受到影響。

1904當威爾斯大復興時，根據歷史學家歐文（J. Edwin Orr）記載，一個警官告訴當地報紙：「我們的城裡有十七間教會，我們有許多警察四重唱，可以為任何需要的教會提供音樂。」那是因為警察時間太多，實在沒有甚麼事情做。明顯的，甚至罪犯也來到教會裡。有一個年輕的礦工名叫羅依文（Evan Roberts），以禱告而不是講道帶領大部份的聚會。

當摩根（G. Campbell Morgan）以及其他著名的教會領袖從倫敦來到威爾斯觀察這個復興時，他們進不了聚會的地方；只能從別人的肩頭一窺前面的情況。他們聽到羅依文叫大家行進到威爾斯山區的高處去嗎？剛好相反：人們經常聽到羅依文禱告說：「再低一點，主啊——讓我們再伏低一點。」他雙膝下跪，開始呻吟般的為威爾斯代求，遵照聖經裡降卑自己禱告的模式（請看雅4:9-10，彼前5:6）。

在那幾年當中，威爾斯也有一波又一波的破產案件——大部份是酒店。

聖經就夠了

作為一個傳道人，我堅信我不被允許傳講聖經裡所沒有的。聖經本身就夠精彩了。聖經並不是一本無聊的書，必須靠

我們替它加點味道。如果我們實行並教導所有耶穌所做、所教的──不偏不倚，就非常精彩了。除此之外，聖經緘默的，就讓我們也保持緘默。

> 作為一個傳道人，我堅信我不被允許傳講
> 聖經裡所沒有的。聖經本身就夠精彩了。

使徒保羅很明白的將這一點寫在給哥林多教會的信裡，當時哥林多教會正陷入一些混亂之中。保羅嘗試將他們推回正軌上，所以他催他們「叫你們效法我們，不可過於聖經所記」（林前 4:6）。顯然保羅認為聖經的根基是必要的，超過就會帶來問題。

同時他也告訴加拉太人：「但無論是我們、是天上來的使者，若傳福音給你們，與我們所傳給你們的不同，他就應當被咒詛」（加 1:8）。

我喜愛賽默（William J. Seymour）所寫的──這位獨眼、僅受過很有限教育的非裔美國人，他在洛杉磯的阿蘇撒街頭教會（Azusa Street Mission）1906 年現代五旬節運動源起之處擔任長老──他寫道：「我們以神的話語來衡量一切」，他在 1907 年的《使徒信仰》（*Apostolic Faith*）雜誌九月號中寫道：「每一個經歷都必須以聖經來衡量。有人說這樣太過份（換句話說，就是太嚴厲！），但是，假若我們太靠近神的話語，當主再來、我們與祂在空中相會時，祂會為我們解決這問題

的。」

沒有人有權力調整福音，或修改神對祂教會的計劃。

沒有人有權力調整福音，或修改神對祂教會的計劃。這些寶貴的計劃不是你或我的，它們是神的。我們必須停止為之焦躁挑剔，我們必須順服在天父老早以前便已計劃好的設計之下。

更深入，而非更廣闊

神的事物有一個周邊界線，保存在所記載的真理當中，如同一口深井，從來沒有人能探知神的真理到底有多深。

進入福音、禱告、聖靈，或是神的愛的大能裡，便是更深地投入神的深井中。每一位被神所用的人，都曾進深到這個貯水池。

今天有一個傾向，便是僅只在真理的池水上稍稍拍打、飛濺點水花，便從井裡*跳開*去到外面的泥地上了。「看！──神正在這裡做一件新事！」人們這樣宣稱。當然，六個月左右，這樣的新奇事物便消耗殆盡，然後他們又跳到另一片新草地上。他們耗費一生，從神的井的這一邊跳到另一邊，從來不曾真正探勘這活水的深度。

在這口井裡，實在沒有必要跳出來。誰曾探知神豐滿無限的慈愛？誰曾經耗盡祂對人類的無限憐憫？誰能真正瞭解從禱

告而來的能力？

特別是從 1960 年代以來，北美的教會時興的新潮來來去去，新的代替舊的。雷文希（Leonard Ravenhill）是一位來自英國，富有復興精神的佈道家與作者，在他去世前不久告訴我說：「人們説今天的教會正不斷增長擴張，沒錯，現在有十哩寬——但卻只有四分之一英时深。」

從黑暗權勢被釋放，尤其抓住了我們的幻想。耶穌與使徒確實從還未得救的人身上趕出邪靈，但在聖經裡我們卻看不出他們這樣做是為了基督徒的好處。我們看不到保羅説：「你們哥林多教會真是一團糟。你們應該聚集教會的長老，迫切禱告，為教會會友抹油，趕出在你們教會裡『説閒話的靈』；體重過重的，應該將那『過肥的靈』趕出去。那不道德的弟兄、與岳母同居的，必須從『慾念的靈』當中得釋放。」

保羅對於這些問題有非常屬世的解釋：它們只是「情慾的事」。他叫人悔改，每天向自己死——而非華麗誘人的驅邪禱告。

我們的文化已被受害者心態帶著走，在這種心態下，每一件事情都是別人的錯，需由精神療法、政府補助、訴訟來解決；因此，在教會裡人們會説：「都是魔鬼的錯，不要怪我。」難怪我們中間少有憂傷痛悔的靈。如果你主要的問題是被邪靈壓迫或鬼附，需要別人幫你將牠趕出，何必禱告認罪？今天基督徒或是禮拜的講道已很少用「罪」這個字眼；很少人感覺需要為自己的過失悔改。相反地，他們從外在找尋一個替

罪羔羊。

　　若你像我這樣在市區裡作工，會發現這種受害者心態非常強烈。「我是黑人或有色人種，所以我一輩子很難有所成就……；我小時後被我的叔叔性侵犯，我還在處理那件事所帶來的痛苦……。」

　　我經常這樣回答：「是的，那些事都是真的──但是神比這一切都大。我們沒有人負擔得起無限期的活在怪罪過去當中。事實上，我的父親酗酒二十一年之久，到一個地步，他丟了他在西屋公司的工作。他本來只在週末鬧酒瘋，後來演變成一整個禮拜，最後變成整個月之久。每當他喝酒，他便開始用各種猥褻的話來罵我……他甚至錯過我的婚禮。」

　　「所以，我的一生應該一事無成，是嗎？」

　　「絕不是，我還是要為我自己負責。神並沒有給我許可證，讓我可以躺在那裡不動。神仍然能夠掌管我，使我服事祂。」

　　我常常繼續指出約瑟生命裡一些奇妙的細節，這個年輕人被他的哥哥賣到埃及作奴隸；他被波提乏的妻子陷害之後，被關進監牢裡、被遺忘……。當他終於結婚，生了一個兒子，他把兒子起名瑪拿西，意思是「使之忘了」。他說：「神使我忘了一切的困苦，和我父的全家」（創 41:51）。無論過去如何悲慘，神比任何人的過去都更有能力。祂能夠使我們忘記──不是藉著抹煞我們的記憶，乃是因為祂除去那個毒鉤，使它不再能影響我們。

我父親的生命已經得到救贖，我為此感謝。他已有十三年不再喝酒。今天他與我母親全心愛主，他們兩位都是布魯克林會幕教會的忠心會友，與有力的支持者。

所有的需要都已得到供應

今天我們如果跑進體育館去，很可能我們會碰見一些看起來很像運動明星的人，穿著昂貴的愛迪達球鞋、同色系的護膝，以及一切的行頭。問題是，他們無法把球投進籃裡去。他們有著一切最新的行頭，但是卻不會打球。

作為神的百姓，我們有著一切所需的裝備，這些裝備已經在我們四周圍兩千年之久。神已經給我們能夠在得分板上得分、並靠祂名得勝的一切所需。因此，讓我們靠著我們所得到的一切，滿懷信心的向前行。

在神沒有改變，祂現在、將來都一樣，渴望著幫助我們的生命、我們的家庭、我們的教會。只要我們肯讓祂的應許應驗在我們身上，我們會看到祂成就我們未曾祈求、未曾想過的事情，如同祂在新約聖經裡所行的。該是我們向前行的時刻了。

八

🌿

市場行銷的誘惑

你是否注意到，今天當你跟一個基督徒談到他（她）的教會時，總是免不了會問**聚會的人數**。

問題：「告訴我你的教會的情況。主的工作進展如何？」

答：「嗯，我們教會禮拜天大約有三百人左右。」

當我問其他教會的牧師同樣的問題時，我總是得到相同的答案，再加另外兩個資料：「會友人數大約五百五十人，我們才剛蓋了一座教育大樓，我們今年的總收入將會多於四十萬。」

聚會人數、建築物、錢。A-B-C：新三位一體。

安提阿教會有多大？

這樣的事情絕不會發生在彼得或保羅的時代。有一件可確知的事是：他們沒有屬於他們自己的建築物。他們在人們的家裡、在公共庭院、有時甚至在洞穴裡聚會。至於預算，他們似

乎把大部份的錢都用來幫助窮人。

在五旬節那天之後，數算人數便很少出現。我們注意到使徒行傳 2:41 以及 4:4 提到關於大筆的人數。之後，19:7 說道，在以弗所有「大約十二個人」，在保羅的服事之下被聖靈充滿。這之後我們便不得而知了。在林前 1:14-16 節，保羅甚至不記得他為誰施洗，更不用談所有的人數了。

安提阿教會的聚會人數有多少？ 庇哩亞呢？腓立比呢？羅馬呢？我們完全無從知道。

在啟示錄的七個教會之一的非拉鐵非教會，會眾有多少？顯然不是很多。主說：「你略有一點力量。」然而祂為他們打了一個燦爛榮耀的高分。

> 沒有任何教會，包括我所牧養的教會，
> 可以用聚會人數來衡量。

對比之下，老底嘉教會的會眾有多少？這個教會「是富足、已經發了財，一樣都不缺」，這個事實給我們一點暗示。我們所知道的是，這個教會禮拜天或許可以吸引 7000 人。他們的帳單都付清——然而他們在屬靈上卻被嚴厲的責備。

在所有書信當中，我們找不到保羅說：「我聽說你們上一季的聚會人數減少——到底是甚麼原因？你們要怎麼辦？」

這使我要說，沒有任何教會，包括我所牧養的教會，可以用聚會人數來衡量。雖然我為每個禮拜湧進布魯克林會幕教會

的群眾感謝神，但這卻不是神恩典的標誌。

風尚之外

那麼對於一個「使徒行傳」的教會，**真正要緊**的是甚麼呢？
使徒在使徒行傳第四章裡的禱告，給了我們一個典範：「叫祢
僕人**大放膽量**講祢的道」（29節）。門徒要的不是數目，而是
能夠讓他們**成為**合神心意的**教會**最根本的素質。

　　大放膽量只有聖靈能賜下。絕沒有「大放膽量的教導」這
回事；你絕不可能從研討會學來。提摩太後書1:7說：「因為
神賜給我們，不是膽怯的心，乃是剛強、仁愛、謹守的心。」

　　新約的傳道人勇敢的向前對抗，信靠聖靈會帶來相信基督
所需的堅定信心。他們不害怕。

　　聽聽看彼得在五旬節那天怎麼說：「你們就藉著無法之人
的手，把祂釘在十字架上殺了。」（徒2:23）。這樣的事是人
們**最不想**聽的。如果雷大衛（David Letterman，譯註：美國
著名的脫口秀主持人）有一張對猶太人聽眾十大**不能說**的單
子，第一件一定是「你們親手把以色列盼了幾個世紀的彌賽亞
殺了」。

　　但是彼得的勇敢並沒有驅走人群。相反的，這些話刺穿了
他們的良知。那天將盡時，一大群人為他們的罪悔改，相信基
督。

　　接下去的一章，在醫治好了瘸腿的之後，對於聚攏來的群
眾，彼得仍舊是直接就說：「你們棄絕了那聖潔公義者，反求

著釋放一個兇手給你們。你們殺了那生命的主，神卻叫祂從死裡復活了。我們都是為這事作見證……。所以你們當悔改歸正，使你們的罪得以塗抹，這樣，那安舒的日子就必從主面前來到」（徒 3:14-15, 19）。

當保羅幾年之後在以弗所傳道，他非常直接的面對外邦人的偶像崇拜，以至於發生暴動。「眾人聽見，就怒氣填胸，喊著說：『大哉以弗所人的亞底米啊！』滿城都轟動起來。眾人拿住與保羅同行的馬其頓人該猶和亞里達古，齊心擁進戲園裡去」（徒 19:28-29）。這樣做似乎對市場大眾並不怎麼敏銳，對消費者也不怎麼友善。

然而，一個強壯的教會就這樣被建立起來了。當保羅向他們問安的時候，他能夠這麼說：「因為神的旨意，我並沒有一樣避諱不傳給你們的。……所以你們應當儆醒，記念我三年之久晝夜不住的流淚，勸戒你們各人」（徒 20:27, 31）。請注意這裡：「神的旨意，我並*沒有一樣*避諱不傳……，不住……*勸戒你們*。」這些一直是擺在使徒心中的事奉。

使徒知道，若沒有勇敢大膽的態度來宣告神的話，他們便無法建立合耶穌心意的教會。世界上任何地區的任何教會都必須回到這個相同的結論。

使徒並沒有試著以巧妙的手法來贏得人心，他們並不以為他們的溝通技巧必須令人感到快慰、舒服，他們的目標是使人的心為自己的罪被刺透。他們一點也不打算問：「人們想聽甚麼？我們禮拜天要如何才能吸引大群的人來教會？」這些是他

們從没想過的事；這些事情對於新約裡的教會是全然陌生的。

> 使徒並没有試著以巧妙的手法來贏得人心。
> 他們一點也不打算問：「人們想聽甚麼？
> 我們禮拜天要如何才能吸引大群的人來教會？」

我們不以聖經的方式來帶領人到基督面前，反之卻將自己的精力消耗在不合聖經的「教會增長」觀念上。聖經上没有説我們應當把目標設定在數目上，卻竭力勸我們靠著聖靈、大膽忠心的宣告神的信息。這樣才能以神的方式建立神的教會。

不幸的是，現在有些教會卻不斷的監視人們對於主日敬拜是否滿意，並且詢問他們喜歡甚麼。一位宗派專家告訴一位記者：「我們需要學習如何乘上變化的潮流。」（註1）

我們没有任何許可，可以調整福音的信息。無論受歡迎與否、是否合乎潮流，我們必須忠實、勇敢的宣告：罪是真實的，但是耶穌赦免一切認罪的人。

神從來没有要求建立一個大教會，祂只呼召我們在聖靈的恩膏與能力之下做祂的工，向祂所愛的人宣告祂的話，容讓祂帶來只有祂能夠製造出來的結果。於是，榮耀便全然歸給祂自己——而不是任何宗派。這是神唯一的計劃，任何其他的作法都偏離了新約的教導。

神告訴以西結説，如果惡人需要接受一個警告，而他卻没有傳達的話，那麼他們的血將歸在先知的手上。今天，對於話

語的職事，這話仍是真實的。

慕迪（Dwight L. Moody）一生都因著曾在一個場合裡太巧妙的傳達福音，而耿耿於懷。在他過世的六年前，他回述1871年秋天在芝加哥所發生的事情：

我打算以六個晚上專注傳講基督的一生。我已經花了四個主日晚上在這個主題上，一路從馬槽講到祂被捕、受審判；然後，在第五個主日晚上，十月八日，是我在芝加哥聽眾最多的一場聚會，我有點為這個成功感到得意，我的題目是「那麼，對於這位稱為基督的耶穌，我該做甚麼？」那天晚上我犯了一生當中最大的錯誤：在講完道──藉著神所給我的能力──之後，我開始催促人們接受基督，我結束信息說道：「我希望你們將這個題目帶回家，在這個禮拜當中好好的思想，下個禮拜天我們要繼續談到加略山的十字架，然後我們來決定我們對於拿撒勒的耶穌該做甚麼。」

就在那一刻，火警在附近響起，慕迪很快的解散聚會，將人們遣散出會場。這是芝加哥大火災的序幕，其後的27小時有300人死亡，90,000人無家可歸，整個城市變成灰燼。顯然，慕迪沒有機會結束他的系列信息。

他繼續說道：

　　自那次之後，我就再也沒見過那群會眾。今天我還是忍不住我的眼淚……二十二年過去了……直到在另一個世界相見，我將永遠見不到那些人。但是我要告訴你們，那天晚上我學到一個功課，是我永遠難忘的；那就是：當我向人傳講基督時，就在當時當場，我要試著帶他們作一個決定。我情願自己的右手被割下來，也不願給聽眾一個禮拜，讓他們決定要不要耶穌。

　　難怪使徒雅各寫道：「其實明天如何，你們還不知道。你們的生命是甚麼呢？你們原來是一片雲霧，出現少時就不見了」（雅 4:14）。福音是這麼重要，無法留到明天或下個禮拜，或是等到群眾顯得比較友善時。

　　約翰衛斯理在1700年代在野外向英國那些強硬的礦工佈道時，可曾告訴自己，*我最好不要對他們說他們是罪人，要不然他們可能會走開？*

　　今天在美國，我們有一股反權威的精神說：「我警告你，沒有人能告訴我我需要改變。」無論是在講壇上或是在教牧協談輔導時，我們太常向這樣的心態妥協，而不敢講說關於罪的真理。我們繼續不斷的以保羅說的「向甚麼樣的人，我就作甚麼樣的人」（林前 9:22）來作藉口，卻沒有注意到就在下一節他說：「你們也當這樣跑，好叫你們得著獎賞」（24節）。調整我們的風格使人願意聽是一件事，但信息卻絕不能改，絕不能使我們空手見主面。

> 今天在美國，我們有一股反權威的精神說：
> 「我警告你，沒有人能告訴我我需要改變。」

我們仍然相信箴言 28:23 所說的：「責備人的，後來蒙人喜悅，多於那用舌頭諂媚人的」嗎？

耶穌是勇於直接面對的；當彼得叫祂逃避十字架時，耶穌沒有回答：「彼得，你知道，我真的試著瞭解你的本意，我很珍惜你那麼在乎我，不要我受到傷害。」相反地，祂對祂的頭號弟子說：「撒但，退我後邊去罷！你是絆我腳的，因為你不體貼神的意思，只體貼人的意思」（太 16:23）。

*我們*心裡作何感想？

直指要點

我發現，人們跟我談他們的問題時，大約百分之 90 的情況都不是談他們真正的問題。因此，傳道與協談的挑戰其實是找出在問題底下的屬靈問題。一位丈夫說：「她不瞭解我。」對他回答：「是嗎？真糟！我為你難過」很容易，但可能真正的實情是：他的舉止粗暴蠻橫。

我們必須慈愛又堅定的以愛心說誠實話。

有一對惹眼的年輕人，我暫且稱他們為米雪與史提，在一個禮拜天晚上聚會結束時，到前面來禱告。兩個人都穿得很體面——他穿著一套昂貴的西裝，打著一條價值美金 60 元的絲質

領帶,她穿著一件時尚的洋裝。從她濕潤的雙眼,我看得出來,在聚會時她被某些事感動了。相較之下,他似乎有些保留,躲避我的眼光。

「能不能請您為我們禱告?」她問道。

「當然」,我說。「妳要我為你們禱告甚麼?」

「求神賜福我們的關係,」她答道。

這句話可以有許多意思,特別是在紐約市。我立刻覺得需要問他們幾個問題:

「我禱告之前,如果你們願意,請告訴我一點你們的背景。你們彼此認識多久了?」

「好幾年了。」

再下一個問題並不是很有禮貌,但是我覺得聖靈催促我。因此,我聲色不改的說:「你們住在一起嗎?」

立刻,一股震驚。她的眼皮跳了一下,他的頭猛然往上抬。我們站在那裡,僵持了一秒鐘,彼此對視。最後她說:「是的,……我們是。」

我點點頭說:「好,這叫我有點棘手。你們要我求神祝福一件祂已經表明祂不喜悅的事。祂在聖經裡已經說得很明白,在婚姻以外的同居是錯的。所以在我看來,似乎如果我求祂在這樣的情況下幫助你們,是在浪費我們每個人的時間,不是嗎?」

他們只是看著我。我繼續說下去:

「讓我告訴你們——讓我們回到神的計劃。史提,如果現

在你另找個地方住如何？你們說你們要神的祝福在你們的關係之中，好，這是第一步；這一步將打開許多祝福的門。」

我能看出史提對這個建議並不怎麼熱衷。

「你們有家人或朋友在這裡，能留你們今晚過夜嗎？」

沒有，他想不到有甚麼人。

「聽著，我們可以為你找一個地方過夜，」我說。「如果神是真的，而你真心願意祂幫助你的生命，那麼就按祂的方式生活。否則，你們就任意而為吧！當然，這樣做最後是自取滅亡；你無法改變神對罪定下的結局，就如同你無法改變地心引力一樣。」

他又提出別的藉口。我找了一位平信徒助手過來，請他為史提安排晚上留宿的床位。

史提與米雪仍然不確定要怎麼做。「如果我們還是住在我們住的地方，但不要睡在一起，可以嗎？這樣應該沒關係，是嗎？」

我回答：「如果你們兩個承認是基督徒，必須避免這種明顯的肉體的試探。此外，當你們早上走出公寓時，鄰居會作怎樣的假設？把事情一路做對來，好嗎？」

他們最終同意這個計劃。

我必須告訴你，也有些人在同樣的情況，卻不同意這樣做。他們會說一些像這樣的話：「嗯，讓我們再看看好了」，然後便走出去了。但是至少我晚上可以安息，知道我已經在神的面前將真理告訴他們。

　　我也曾接到一些女士寫來的信說：「你知道嗎，我並不喜歡你那天對我和我的男朋友說的話。你告訴我們應該聽從聖經，但是我們不想接受。我想，我應該讓你知道：他已經離開我了；就如同你說的，我只不過是一片肉，其他的甚麼都不是。現在我又獨自一人了，我希望我當時聽從了你的話。」

　　史提與米雪的情況最後變得更好，他立刻找到另一個地方住，我們繼續輔導、幫助他們，神張開他們的眼睛，使他們看到屬靈的真實。然後一件奇妙的事情發生了：在一個禮拜二的晚上，當禱告會將近結束時，我說：「在你們都離開之前，今晚我要給你們一個驚喜，請每個人都起立。」

　　會眾們都起立……然後風琴開始奏起Lohengrin莊嚴的「結婚進行曲」。後門打開，面帶微笑的新娘，穿著一件長洋裝，手捧著花，向前走來。人們爆出熱烈的掌聲。史提整晚坐在靠近我的前排座位上，此時他站起來。就在1,500位觀眾的見證下，他們在基督面前結合在一起。

　　在整個過程中有好幾次，他們快樂的抽泣聲大到人們可以從我的麥克風聽到。僅管如此，他們還是設法說完他們的誓約。退席之後，我對觀眾說：「你們知道嗎，這一對新人最近才接受主。」我沒有把他們過去的細節說出來，但是大部份人可以猜得出來。他們非常清楚知道，神的恩典與能力能使彎曲的變為耿直。

　　這些年來，這樣的事情已經多次發生在禮拜二晚上，總是帶來美好的慶祝會。

討好誰？

布魯克林會幕教會的同工，就是在複雜的情況中也採取勇敢的立場，例如對已經有了小孩的同居男女亦然。要求這個男人暫時搬出去住，但是必須繼續付生活費，是很不容易的。但是那些決心悔改的人，便完全遵照這樣的方式做。

我常常對同居者說：「你們可能覺得納悶，*到底這個傳道人的理由何在？他到底想證明甚麼？*除了討神的喜悅之外，我沒有甚麼道理。你們可以看到，教會已經坐滿人；我們並不急著要新會員加入教會，或是得到你們的奉獻。但是我們卻急切要討神的喜悅，好使我們有一天站在祂面前時不羞愧。」

使徒保羅在帖前 2:4 這樣表達了他的確信：「不是要討人喜歡，乃是要討那察驗我們心的神喜歡。」神沒有要求凱蘿和我建立一個大教會；祂要我們傳講福音，並奉祂的名愛人。有些人聽了拒絕，卻有些人接受了這真理。歷代以來一直是這樣，但是當我們以神的方式去做的時候，結果總是更生氣蓬勃、更榮耀。

神沒有要求凱蘿和我建立一個大教會；
祂要我們傳講福音，並奉祂的名愛人。

就如同神警告以色列人不要與迦南人的神——巴力或是亞舍拉混雜，在這個時代，我們也必須對一個叫做「成功」的神特別小心。教會的「大」若是以拋棄真理或使聖靈擔憂的代價

換得的，便不足取。

想像一個籃球場，有一個五呎高的籃，射籃線是三呎遠。我當然可以連續射進884球。

我太太跑出來對我說：「你在幹甚麼？」

「我在打籃球。你看，球在這兒，籃板、籃框在那兒。線都畫好了。」

凱蘿會說：「不對，籃框應該十呎高，線應該是15呎遠的距離。那才叫做籃球。你不過裝模作樣，只能算是演齣啞劇罷了。」

我們畫了很多記號，看起來像基督教，但是我們已經大大的修改了基本特質。人們白耗力氣的將標準降低，想要讓教會看起來比它實際的情況成功；信息必須一貫的正面積極，聚會時間不能超過六十分鐘。就是如此，教會在某些情況仍然令人感到不便，尤其是足球季節。到教會去是這麼一件沉重的負擔，人們大概很快的就會「傳真」送他們的「分身」到教會去了。

> 到教會去是這麼一件沉重的負擔，
> 人們大概很快的就會「傳真」
> 送他們的「分身」到教會去了。

有一位傳道人告訴我，最近有兩個家庭離開教會，到別的教會去，理由是他們的停車場交通指揮人員，在指揮車輛離開

停車場時，速度不夠快。若這些人是在當年的特羅亞，當保羅講道講到半夜時，不知他們會怎麼做？（參徒 20:7）

你能想像禮拜天早上，某個人將麥克風交給彼得，並對彼得耳語說：「好，現在你有二十分鐘，我們必須很快的讓這些人離開會場，因為馬車競賽一點鐘要開始」嗎？

事實是，「對消費者友善」可能是世俗化的掩飾。那些要六十分鐘敬拜的人，卻能租兩個小時長的錄影帶，並且看更久的 NBA、NFL 球賽。所以問題不在長度，而在於胃口。

嚴格來說，我們的子女或子孫長大後，在教會將是如何？長時間的等候神，對他們將變得極其陌生；他們的記憶裡找不到人們尋求神的例子。他們所能想到的，便是那些經過專業修飾、嚴格控制時間的產品。

我們詩班裡的一個團員，最近到一個教會去獨唱，他們事前通知她，「我們不希望妳唱任何提到基督寶血的歌。人們覺得不舒服，我們這裡的目標是要讓人們覺得很友善。」

如果人們真的不珍惜「**寶血**」這個字，因它含有犧牲的意思，那麼我們為什麼在七月四日（美國獨立紀念日）演講時，總是提及那些為美國犧牲生命的勇敢的男女呢？我們應該避免提及那些為政治自由的理由而流血犧牲的人嗎？如果不是的話，我們豈不更應該榮耀神羔羊的寶血，不管別人怎麼想嗎？

十字架的信息對於一些人永遠是愚昧的，是某些人的絆腳石。但是如果我們的注意力是在市場反應，我們便失去福音的大能。這種懼怕提到基督寶血的態度，是一種過度反應。更糟

的是，這近乎異端，歪曲、貶損了好消息的大能。

不以福音為恥的態度到那裡去了呢？沒有人比神聰明。當祂要求以祂的方式做祂的工時，我們能夠確定祂能製造出祂要的結果，使祂得榮耀。神自有創意，我們毋須創新。神完全知道我們需要做甚麼，並且期待我們像孩子般的單純信靠祂、順服祂。

神沒有要我們精明，來吸引那些想要擁有屬世智慧的人。不是倚靠勢力，不是倚靠才能，不是倚靠電腦，不是倚靠聰明，乃是倚靠我的靈；主這樣說（亞4:6）。

在這個時代，我們完全被計劃所驅使，以至於神如果要幫我們突破也不可能。很多教會在敬拜的時刻，詩歌的程序是那樣僵化，以至於沒有任何東西能夠打岔，甚至神的靈也不能。敬拜帶領者將所有音樂的曲調、轉調都背起來了。如果神能夠帶領以色列人40年在曠野，難道祂沒有辦法不靠這一大套佈局，而帶領我們一場聚會、一段敬拜與讚美的時間嗎？復興的根本徵兆就是：風被允許隨意的吹。

我們不需要技術人員與教會設計師；*我們需要神*。祂並沒有找聰明人，因為祂自己就是。祂所要的是人們單純信靠祂。

根據林前十四章，如果聚會由聖靈來掌管，其結果對於訪客便是「他心裡的隱情顯露出來，就必將臉伏地，敬拜神，說：神真是在你們中間了」（25節）。這應該是我們的目標。當一個訪客進來時，應當有一種神的臨在與神的真理的融合，讓人的心好似被X-光照過一般，他生命的虛浮被暴露，以至於

他在悔改中破碎、降服。

我們是否尋找這個？我們是否為此禱告？今天的教會領袖以此為目標嗎？教會會友鼓勵他們的牧師不計代價的照主的命令做嗎？

懷特（Alexander Whyte）觀察 1859 年的蘇格蘭大復興之後，作了這樣美好的評論：「在復興聚會中，會眾負責傳講信息。」他的意思是，除了傳道人、音樂家以及其他的事奉以外，真正向人心說話的，是神與祂百姓的親密相交。

真正的試驗

在一場我講道的音樂研討會當中，一位男士眼中帶淚來見我：「我們剛剛來了位新牧師，」他說。「他對我——音樂傳道——的指示是：『請別再用「教會音樂」。我要你為主日聚會從百老匯音樂、流行戲曲當中找一些合唱音樂。』」

「我應該怎麼辦？我像他一樣，想讓音樂與人們產生關聯——但這是不是意味我們原本的音樂無法榮耀神？」

我告訴他，他必須回去見他的牧師，敞開心來作一個長談。

保羅說，將來有一天，我們的「工程必然顯露，因為那日子要將它表明出來，有火發現；這火要試驗各人的工程怎樣」（林前 3:13）。金、銀以及貴重寶石能夠留下來，但是草木禾稭卻成灰燼。

保羅沒有說*數量*會被試驗，他一點也沒有提到聚會人數。

所有的焦點都放在*品質*。

魏華倫（Warren Wiersbe）對於這節經節，曾向布魯克林會幕教會的同工，作了一個很有趣的觀察。「除了明顯的分別——一堆是防火的，一堆不是防火的，這些材料的不同在那裡？」

「我想很重要的是，那些草木禾稭都是大量的……就在你門外，或在幾哩外之處；任何森林、農田都有許多。」

「但是，如果你要金、銀以及貴重寶石，你必須去*挖掘*；你必須費很大的努力去追求。它們不是到處都有的。你必須深入到地底去。」

對我來說，這些話非常深刻。草木禾稭的屬靈工程來得容易多了——一點努力、一點尋找、毋須分娩之痛。只要「砰」一下就有，看起來也很不錯，可以耐一陣子。但是如果你要蓋一個可以留到審判日的工程，便沒有那麼容易了。

到那天，你的基督徒同伴怎麼想，或是市場專家怎麼想，都沒有關係了。你我要站在眼光如火焰的那一位面前。我們無法藉著告訴祂我們的策略有多聰明，來使祂放鬆標準。我們將面對祂的凝視。

祂只問我們對祂的話語是否勇敢忠心。

九

〰

欠缺能力的教條

我無意將紐約市描繪成為一個完全無神、異教充斥的地方；因為，其實，布魯克林區在歷史上曾被稱為一個「教會滿處的地區」。在我們的地區，有數不清的建築物曾經一度是活躍、充滿動力的教會。不幸的是，今天它們已經幾乎都空了。當鄰近地區改變，毒品越來越猖獗時，教會的衝勁消退了。

許多教區成員漸漸過世，或者搬到市郊，卻慷慨的留下了大筆捐款。因此，今天這些教會在禮拜天或許只有少數幾個人坐在會堂裡，卻仍然能夠支付一位全薪牧師的薪水，並使這個「事業」繼續下去。其中最出名的是一個市中心的教會，我們曾經租用來做特別佈道會的場地。他們的會堂可以容納 1,400 人，在1930年代以及1940年代這個教會擠滿人，但是自從1960年代之後，便不再有固定的主日敬拜了。目前他們的會眾在地下室聚會。

從此，市中心成為一個被遺忘的宣教工場。本來應該擠滿

人的教會建築空了下來。罪惡滿盈，但是與羅馬書五章相反的，恩典卻**不顯**多。

這是不是因為講壇不宣講真理？

就某方面來說，是的——但是很多時候，卻不是這樣。如果你以為教會衰退都是因為自由派神學或是錯誤的教義，這可能叫你感到訝異。但是，很多擁有這些寂靜無聲的教堂的群體，都是最正統的教會。如果你質問他們關於基督的神性、童女生子，或他們是否信奉使徒信經，他們都將光采順利的通過考核。

那麼到底少了甚麼？

頭腦的知識以外

這個缺少的因素便是記載在使徒行傳第四章裏禱告的最後一句：「一面伸出祢的手來醫治疾病，並且使神蹟奇事因著祢聖僕耶穌的名行出來」（30節）。引起未信者的注意，並攪動他們的心的，便是看到福音顯示出大能。

為基督贏得世界，不只是靠嚴謹的理論；正確的教義是不夠的。宣告與教導是不夠的。神必須受邀以神蹟奇事來印證祂的話語（參來 2:4）。換句話說，福音必須靠從天而降的聖靈來傳講。

為基督贏得世界，不只是靠嚴謹的理論；
正確的教義是不夠的。

使徒禱告求神行超自然的事，他們要人們知道，他們的信仰不只是地位上的或是理論上的。他們的信仰帶有*能力*。「哦，神啊，伸出祢的手來——與我們一起來做。」他們要一份明顯是活著的信仰，一份不只是基於十字架，並且是基於空墓的信仰。十字架，雖是如此劇烈沉痛，卻是可被人類理解的：一個無罪的人，被狡詐的政治家與宗教領袖殺害。但是空墓——你能怎麼說？唯有超自然的神能夠成就這樣的事。

今天在太多的教會，人們看不到神的權能應允熱切的禱告。相反地，他們聽到的是只有少許人關心的、關於神學上的爭論。基督教電台與電視節目中，我們往往只是自說自話。

我們今天所面對的是舊約的「誓約宗教」，由無止盡的重覆與命令組合成，要求做到所有正確的事情。現代傳道人像摩西一般，從山上下來，呼籲大家委身。每個人都答應，但兩天以內便打破誓言；甚少靠著神的大能，使情況繼續不斷的有所差別；很少人呼求神以一種超自然的方式來顛覆我們自己。

一如當年祂對撒狄教會說的，今天耶穌也來向我們說：「我知道你的行為，按名你是活的，其實是死的。你要儆醒，堅固那剩下將要衰微的；因我見你的行為，在我神面前，沒有一樣是完全的。……若不儆醒，我必臨到你那裡，如同賊一樣

……。聖靈向眾教會所說的話，凡有耳的，就應當聽」（啟3：1-3，6）。

在啟示錄的教會中，只有兩個（別迦摩與推雅推喇）是因為錯誤的教義受責備，這點豈不叫我們注意？大部份的教會都是因為缺乏屬靈生命、不夠火熱、不親近主而受責備；這些正是榮耀的基督最想要談的。

我不是在鼓吹那種煽動情緒的誇張表演。但我與那些使徒一樣，比較偏好祈求神伸出祂的手、親自顯示祂自己。

每逢一個新的基督徒站起來，告訴眾人神如何全

然改變他（她）的生命時，沒有人會打瞌睡。

當人們看到神真的改變人，並且釋放他們得自由，便會專注來看。每逢一個新的基督徒站起來，告訴眾人神如何全然改變他（她）的生命時，沒有人會打瞌睡。每逢有人得醫治，或從控制生命的捆綁中得釋放，每個人都注意觀看。這些事情見證神是一位大有能力的活神。

誰在營壘之外？

固守純正的教義是好的，但卻不是新約聖經裡的教會全貌。使徒不只是像老聖詩說的「固守營壘」罷了，他們祈求神賜下能力在他們身上，讓他們走出去，對整個文化造成衝擊。

在太多的地方，聖經被嚴格的批判、擊打，教義被爭論到

清晨三點鐘，然而隱含於教義之間的聖靈卻被錯失了。1700年代早期的一位英國靈修神學作家羅威廉（William Law）寫道：「你可以任意閱讀任何一章聖經，並從中感到歡愉——你卻仍然同樣貧乏、空虛、毫無改變；除非它能夠全然的、真正的把你轉向神的靈，並且將你帶入與祂完全的聯合，完全的倚靠祂。」（註1）

要覺察出我們是否正忍受這種斷絕的苦，其中一個方法便是看看我們對於那些骯髒的、不屬於我們自己的、與大眾的形象格格不入的那些人的關心程度。認為教會只被呼召來服事雅痞階級，或是只向某種特定階層的人傳福音，這種想法是新約聖經找不到的。罪的損害絕對令人不悅——但那便是耶穌來要赦免與醫治的。「人子來，為要尋找、拯救失喪的人」（路19:10）。神的靈是憐憫、慈悲、向外伸出手的靈。

> 在太多的地方，聖經被嚴格的批判、擊打，
> 教義被爭論到清晨三點鐘，
> 然而隱含於教義其間的聖靈卻被錯失了。

然而，基督徒對於那些與他們不同的人，卻仍常常裹足不前。他們要神先把魚弄乾淨了，然後才去抓。如果有人的金環戴在不尋常的身體部位，或身體有怪味，或是膚色不同，基督徒往往遲疑不前。但是，讓我們想想*神*又是如何來找*我們*的。那位神聖、純潔的神親自來找滿是淤泥、惡心、不聖潔的我

們。神儘可以說：「你與我如此不同，那麼可厭，我寧可不要太靠近你。」但是祂不曾這樣說。祂慈愛的手牽著的，正是這樣的我們。

耶穌不只是遠遠站在三十碼外，對長大痲瘋的說些醫治的話；祂**觸摸**他們。

我永遠不會忘記1992年的復活節——那天藍菊蘸作她那奇妙的見證，如我在第三章所述。那天，一個游民站在教會的後面，注神聆聽。

晚上的聚會結束，當其他的人繼續為到前面來回應接受基督的人禱告時，我坐在講台的邊緣，筋疲力盡。風琴正輕聲彈奏；我想要鬆弛一下。當我正開始讓自己放鬆，頭往上抬，就看到這個人，穿著殘破不堪的衣服，糾纏蓬亂的頭髮，站在中央的甬道，大約四排椅子之外，等著我示意他近前來。

我向他點個頭，微微揮個手。我心想：**看看這個復活節主日的結束竟然是這個樣子，這個人鐵是要來敲我一點錢**。這樣的事在這個教會經常發生，**而我實在很疲倦了**。

當他靠近時，我看到他前面兩顆牙沒了。但是最令人驚恐的是他的味道——一股混雜著酒精、汗臭、尿液、垃圾的味道，直向我撲來。我曾經遇見許多游民，但這卻是我所碰過味道最濃烈的一次。我不由自主的必須把頭撇到一邊去吸一口氣，然後再轉回去朝他的方向呼出來。

我問了他的名字。

「大衛，」他輕聲回答。

「大衛，你無家可歸多久了？」

「六年，」

「你昨天晚上睡在那裡？」

「在一個廢棄的卡車裡。」

我已經聽夠了，只想要趕快把他打發掉。我伸手拿我夾在後面口袋的錢。

就在那一刻，大衛把他的指頭在我面前幌一下說：「不，你不瞭解——我不要你的錢，我就要死在外面了。我要的是那個紅髮女孩說的耶穌。」

我有點遲疑，然後閉上眼睛，*神啊，赦免我*，我祈求道。我覺得自己骯髒、污穢、不值。我，一個傳福音的人⋯⋯當這個人正向那位我剛剛傳講的基督呼求幫助時，我竟然只想要趕快把他弄走。神的愛充溢在我身上，我艱辛的咽下這口氣。

大衛感覺到我的改變。他往前向我靠過來，伏在我的胸前，把他那顆滿是塵土的頭靠在我的白襯衫與領帶上。我擁抱著他，向他講述耶穌的愛。這些不只是話語，我可以感覺到愛，我可以感覺到對這個可憐的年輕人的愛。還有那股味道⋯⋯我不知道怎麼解釋，這味道剛才幾乎讓我作嘔，但現在對我卻成為最美妙的香水。一刻鐘前叫我極力排斥的，現在我卻沉緬其中。

就在那一刻，神似乎在對我說：*傑米，如果你和你妻子對我來說有甚麼價值，如果你在我的工作中有甚麼目的的話，必然在於這股臭味。我就是為世界這股味道來死的。*

大衛降服於他那天晚上所聽到的基督。我們送他進醫院去戒毒一個禮拜；我們幫助他修好他的牙齒；他立刻加入禱告團隊。他在我們家過了當年的感恩節，之後，我們又邀請來他來家裡過聖誕節。

我永遠不會忘記他送我的禮物，在一個小盒子裡是一條手帕……那是盡他所能的了。

今天大衛是教會維修部的主管，督導十個雇員。他現在已經結了婚，做了爸爸。神開了越來越多的門，讓他到外面各處作見證。當他說話的時候，他的話語有份量，對人的心有衝擊，以至於許多牧者都羨慕他。

當基督徒向外接觸人，包括那些在我們社會中不可愛的人時，神也正在觸摸他們──並且完全改變了他們的生命。否則我們就只是繞圓圈，忙著在我們自己人之間查經罷了；神的大能沒有顯示在我們當中，因為我們把自己關閉在需要這樣的大能之外。

為什麼似乎最偉大的神蹟故事多來自宣教工場，無論在海外或是此處一些窮困的地方（比如少年進軍中心向毒癮者傳福音）？因為在那裡有需要。基督徒帶著他們穩固的教義，延伸到混亂的生命中，這就是神呼召我們所有的人去做的。

若沒有把這種憐憫的愛延伸出去，聖經教師與聖經權威很容易變得傲慢。我們為自己井然有序的教義如此自豪，以至於往往變得驕傲自大。我們對於所有的規條理論清清楚楚，而世上其餘的人卻因神的真理覺得糾纏不清……可憐的人。

　　這種態度將我們所傳講的道的中心點丟失了。最終我們只有一堆教義上的講究，卻很少有像聖經裡我們所傳講的事發生。我個人非常厭倦聽各種地位與原則的教導。新信主的人群在那裡？歡喜快樂的受洗者在那裡？活潑熱切的禱告會在那裡？

　　又一次，羅威廉這樣寫道：

　　　我們或許可以將之視為一個規則：耶穌那超然的生命與天性越顯明在我們裡面，我們對於公義與美德就越敏銳；我們對那些因著罪而導致瞎眼、疾病以及死亡的人，便越憐憫、越慈愛。當我們看到這些人時，便不再表現出一付傲慢的姿態或是自以為聖潔的尊嚴，取而代之的是，當我們看到這樣可怖的疾病的悲慘時，反而有一股溫柔與憐恤的愛充滿我們。（註2）

　　凱蘿與我都發現，若非神以新鮮沛降的愛來為我們施洗，我們早已在*昨日*離開紐約市了。我們住在這裡，並不是因為我們喜歡這個擁擠、無禮、暴力的城市。每次我遇見或是讀到有人竟然強姦小女孩時，都恨不得將他從五樓的窗口扔出去。這裡不是一個容易讓愛繁盛之處。

　　但是基督為那人死。除此還有甚麼能改變他？還有甚麼能取代在他心裡的慾念與殘暴？他不可能讀我書架上那些神學、解經書籍，他迫切需要被全能慈愛的神的大能所驚動。

如果聖靈沒有使我的心與我的教義調和的話，一定有某件關鍵的事物失落了。我可以盡情確信耶穌基督的存在，但是要能發揮效益，祂必須活在我的生命裡到一個地步，甚至那些性變態者、妓女以及皮條客都看得到。

為藝術或是為人心？

如果我們不渴求，並禱告期待神伸出祂的手行奇事，就不會有奇事發生。這是簡單的道理。我們必須給祂餘裕來工作。如果我們只是週而復始的以宗教演講填滿時間，其他甚麼也沒有的話，神便沒有甚麼機會行事。

只要我們一直忙著琢磨我們的演講術，講壇便只是我們自己的。讓我們來聽聽一百多年前，偉大的祈禱先知邦得（E. M. Bounds）怎麼說：

所有事情當中，最攔阻屬靈成果的，非精緻的講道莫數了。在精緻的講道中，傳道人的力氣被用來使信息的思維偉大，如同藝術作品般的可口，如學術產品般的完美，加以演講術的雕琢，並悅人耳目，受人歡迎。

在真正的講道中，信息生發在傳道人之前，是他的一部份，從他的生命裡面湧流出來。精緻的講道把人與信息分開，這樣的講道令人印象深刻，卻不是來自聖靈。雖有影響力，卻非完全屬靈。這樣的信息無法觸摸人的良心，甚且根本不是以之為目標。（註3）

神對於講壇的表現，遠不如對那些顯示神同在的謙卑話語來的看重。讓我們看看保羅與巴拿巴在兩個彼此鄰近的城市的事工，記載在使徒行傳 14 章：

1. 以哥念：「二人在那裡住了多日，*倚靠主放膽講道。主藉他們的手，施行神蹟奇事、證明祂的恩道*」（3 節）。

2. 路司得：「城裡坐著一個兩腳無力的人，生來是瘸腿的，從來沒有走過。他聽保羅講道。保羅定睛看他，見他有信心可得痊愈，就大聲説：『你起來、兩腳站直。』那人就跳起來而且行走。」（8-10 節）群眾立刻有所反應。

信息加上神的彰顯，教義加上能力；這是新約的方式。

一個更保守的例子是發生在前一章，當這兩個使徒在居比路島上向一位政府官員傳福音，這位官員「請了巴拿巴和掃羅來，要聽神的道」（徒 13:7）。一個術士以呂馬阻撓真理的宣告，「保羅被聖靈充滿，定睛看他」（9 節），斥責他，宣告神要擊打他，使他眼瞎。

作者提到保羅的屬靈光景絕非偶然：他被聖靈充滿。這裡有一個人，在那一刻被聖靈充滿，而能夠面對撒但的挑戰。保羅的教義霎時之間被神那壓倒性的靈所堅固。「方伯看見所作的事，很希奇主的道，就信了」（徒 13:12）。

對這樣的*教導*感到驚訝？是的，因為這是帶著能力的教導。人們必須不僅聽到，還要能感覺得到、看到、並且經驗到我們所說的神的恩典。

這樣的事情當然是無法預知的。當我們容讓神的大能臨到

教會的聚會中，聚會將不再總是遵循一套預定的時間程序。誰能述說神心裡的想法呢？

> 當我們容讓神的大能臨到教會的聚會中，
> 聚會將不再總是遵循一套預定的時間程序。
> 誰能述說神心裡的想法呢？

有人說：「在使徒行傳裡的神蹟奇事只是暫時性的，這些事是為了印證使徒的身份，一直到新約完成。現在神的話既已完成，就不再需要超自然的事情發生了。」

我的回應是這樣的：如果我們已經有一個寫好了的、完整的啟示，比起初代教會那些只有舊約可以維賴的可憐人，我們是否至少看到神的國度有同等的進步、同樣多的人來信基督、同樣的勝過撒但？如果沒有，為什麼沒有？我們是否錯過一些非常珍貴的東西，而這些東西是當初的基督徒看為最基本的？

我曾遇見一些傳道人從電腦印出一個檔案，驕傲的向我展示他們在下一年度所要講的東西。每樣東西都已經整齊排列，不再有週而復始尋求神的壓力。如果神有其他的想法呢？如果會眾明年十月的屬靈溫度改變呢？若是沒有恩膏與先知性的銳利，來宣講一些從神新鮮領受的話語，教會生活可能會衰退到只不過是一系列的演講罷了。

想像凱蘿與我邀請你來我們家野炊。當你到達時，我在門口歡迎你；我替你掛起你的外套，遞給你一張紙條，上面寫上

今晚的大綱，在上面你看到最初的七分鐘我們先來一個輕鬆的社交：交通情況如何？你的子女最近如何？

接著下面幾分鐘，我會帶你很快的參觀一下我們家、後面的陽台等等。再接下來二十分鐘用餐，由凱蘿謝飯禱告；然後我們開始傳菜……。

你會對你自己說，*這真是怪異！為什麼要這麼一板一眼？我們能不能放輕鬆，彼此認識一番？如果某個人有些特別的想法，想說些不在節目表當中的話呢？*

往往一個教會的聚會，本來應該吸引人到神面前的，卻總是一成不變。聖靈的帶領與自然發生的事件，都因維持時間程序的藉口而被棄絕。然而，只要聚會的程序嚴格被限定遵守，我們便看不到復興。

請瞭解：我不是在鼓吹混亂，我沒有說「怎麼做都可以。」我只是要求我們自己記得：我們應該被聖靈帶領。耶穌說祂要建立教會，因此我們不應太獨立自主，以至於失去與這位主要策劃人的連繫。聖靈行出非比尋常的事情，並不需要事先通知我們。

「因為凡被神的靈引導的，都是神的兒子」（羅 8:14）。如果你讀福音書，尋找耶穌的日常行程表，你會發現找不著。掃瞄整本使徒行傳，去找出使徒的禮拜儀式，你會發現是一片空白。你發現的是，人們被聖靈那股疾風鼓動，立刻順服的行動。

耶路撒冷信徒的禱詞，摘要記載在使徒行傳第四章：「神

啊，不要單單送我們去外面講話，請與我們一起同工，以超自然的方法來印證祢的信息。」至於以甚麼方式及甚麼作風，則完全交給神。

芬尼（Charles Finney），這位佈道家本是一個律師，他曾經說，只要有一個聽眾繼續注視他，他便知道自己失敗了。只有當他們的頭開始低下去、深深地為罪懺悔，他才知道神真的與他同工，產生內心的改變。只有穩固的教義是不夠的。

事實上，復興從來不曾被流利聰明的講道主宰。如果你以馬錶來測驗這些復興聚會，你會發現其間禱告、哭泣、悔改遠比講道的時間多。在1857到1859年的「禱告會大復興」當中，根本就沒有講道。然而，這次復興明顯的產生了美國歷史上所有的屬靈覺醒中最大的一次豐收：橫掃整個美國，估計有一百萬人信主，當時全國的人口只有三千萬。若以今天的美國人口比例來說，便是有*九百萬人*屈膝悔改！

這事如何發生？一位安靜的生意人藍菲爾（Jeremiah Lanphier）在紐約市的一個荷蘭人更正教會，離華爾街不到四分之一英哩處，開始了一個禮拜三中午的禱告會。第一個禮拜有六個人出現。下一個禮拜，來了二十個人。再下個禮拜，四十個人……；於是他們決定每天聚會。

「沒有狂亂興奮，只是一股令人難以置信的運動，使人們開始禱告」，歐艾文（J. Edwin Orr）如此報導。「聚會沒有講道，只是隨著*任何人*自由的禱告。」（註4）

到第四個禮拜，1857年的財務恐慌發生；證券市場猛跌，

銀行破產（一個月內，有多於 1,400 家銀行宣告倒閉），人們開始史無前例的認真求告神。藍菲爾的教會開始在三個不同的房間同時舉行午間禱告會。百老匯街東邊的約翰街衛理公會也一樣擠滿了人，很快的，在坎柏街的柏頓戲院，每天中午也擠了三千人在那裡禱告。

　　同樣的情景很快的也發生在波士頓、新港、費城、華盛頓以及美國南方。隔年春天，兩千個芝加哥人每天聚集在大都會戲院禱告。一個新到芝加哥的二十一歲年輕人，蒙召做主工。他寫信給在東岸的母親，說他要開始一個主日學，他的名字叫做慕迪（Dwight L. Moody）。

　　有人覺得今天美國缺少傳道人、書籍、聖經譯本以及精巧的教義聲明嗎？我們所缺乏的是一份熱切的心，呼求主直到祂打開天上的門，彰顯祂的大能。

教導的極限

讓我作個大膽的聲明：基督教不是一個以教導為主的宗教。這些日子以來，我們幾乎被以講道者為中心的思想所壟斷。一個可以站起來並清楚講解教義的人，被視為最基本的要求；若沒有這樣的才幹，教會就不知道怎麼辦了。如我在前章所說，北美的教會已經把信息當作聚會的中心，而不是神在人生命裡彰顯作為的恩典。

　　在耶穌的時代，猶太人的思想由拉比教導律法來支配。他們的教條非常徹底。耶穌向他們說：「你們查考聖經，因你們

以為**內中**有永生。給我作見證的就是這經，然而你們不肯到我這裡來得生命」（約5:39-40）。他們對於白紙黑字的神的話語非常熟悉，但卻不認識生命之道，甚至當祂就站在他們面前時。

> 基督教不是一個以教導為主的宗教。
> 教導穩固的教義，只是超自然的前奏。

將聖經比為箭靶，遠不如比做一支箭，向我們指出改變生命的基督。

可惜，那些拉比從來沒有瞭解那位在他們中間的是誰。在祂被釘十字架的前幾天，耶穌為耶路撒冷哭泣說：「因為你沒有認出上帝拯救（來訪）的時機」（路 19:44，現代中文譯本，括號內乃 NASB 譯本直譯）。

解釋**關於**神是好的，但是今天太少人真正在他們的生命當中經歷這位活基督了。在我們的聚集當中，我們沒有看到神的來訪，我們並未小心期待祂向我們伸出祂的手。

教導穩固的教義只是超自然的前奏。它是一個導引、一種界限，確保我們充溢的情緒在恰當的渠道當中。

但是，如保羅所說：「因為那字句是叫人死，精意（聖靈）是叫人活」（林後 3:6）。如果聖靈在我們中間找不到開放的地方，如果祂的工作不受歡迎，如果我們對祂可能做的事感到害怕，那麼沒有別的，我們等於將自己置於死地。

我承認，一些極端份子藉聖靈的名義，做了一些瘋狂的事情，嚇走了許多誠摯的基督徒。混亂的聚會、愚蠢的事情，以及缺乏對神的虔敬，驅使很多人寧可要一個安靜、有次序的演講。但這只是敵人的另一個技倆，讓我們「把嬰兒跟著洗澡水一起倒掉」。撒但的技倆總是把我們從一個極端推到另一個極端：死氣沉沉或是瘋狂顛癇。

費高登（Gordon D. Fee）是一位新約學者，他是五旬節的背景；他曾論及關於公眾的敬拜說：「在敬拜中，一個人必須要有這種難以置信的、自覺不配的感覺──『我不應該屬於這裡的』，然而卻又夾雜一種全然歡樂喜悅的感覺──『但是完全因著恩典，我屬於這裡』。令我感到不安的是，在一些五旬節及靈恩教會的聚會當中，有一股不敬虔、沒有敬畏的歡樂。」費高登又接著說，但是在太多主流福音派教會當中，「既不敬虔*也沒有*歡樂」。（註5）

老話說得好：「你如果只有話語，會枯萎；你如果只有聖靈，會爆炸；若你兩者都有，就會成長。」

我們絕不能因為害怕聖靈而屈服。兩百多年前，羅威廉直率地宣稱他當時的教會「與當時猶太人的背逆相同的特徵是：猶太人竟然拒絕了那位應驗他們的律法與先知所教導的基本要素的基督；同樣的，基督教正因著拒絕聖靈，而落在一種失敗的光景當中。」他又繼續說道，正如同猶太人拒絕耶穌，並且引用舊約聖經為憑據，「今天的教會領袖以穩固的教義為名，拒絕聖靈的彰顯與大能」。（註6）

如果今天這位英國人還在的話，他會怎麼說？

哭求更多

我無意暗示布魯克林會幕教會的敬拜與生命完善無虞。如我一開始時說的，沒有完美的教會。我必須誠實地告訴你們，我幾乎是一直活在一種失敗的感覺當中。每當我想到神能為這個城市所有的需要所做的有多少，而我們卻成就如此之少時，便使我有一種熱切的心，想要尋求神以更大能的方式來介入。

北美基督徒必須不再安於現況。不再要精巧的小聚會，甚至不再要求教義上百分之百正確的好處。

我們是否躲在神無所不在、祂充滿全地等教義的後面，特別是抓住「兩、三個人⋯⋯聚會」，以至於我們不願認真的呼求、期待看到祂就在*此時此刻*，以祂的大能在我們的生命當中作工？我們難道不該期待每隔一陣子便*看到*祂的作為嗎？我們難道不該懇求祂來彰顯祂自己嗎？摩西這樣做，約書亞這樣做，以利沙這樣做，彼得這樣做，腓力這樣做，保羅這樣做。我們難道不該這樣做嗎？

神會照著我們對祂的熱切來彰顯祂自己。祂早先所立下的原則仍舊真實：「你們尋求我，若專心尋求我，就必尋見」（耶 29:13）。*主啊，求祢裂天而降，彰顯祢自己，成就只有祢能成就的。*

第三部份

前面的道路

十

自作聰明

儘管照這個世界的界定稱我們是一個成功的教會——眾多的會友，將近二十間分堂，詩班在葛理翰牧師的佈道會演唱，我們的錄影帶在全美各地電視播出，各地講道的邀請頻仍；然而，每當我們的牧師在繁忙紛亂的日子中，聚在一起開會時，一股從神而來持續不斷的意念便在我們的心中擴散：*不要忘了這一切是誰做的，你們仍然同樣的需要我！*

如果你已經成為基督徒一段時間了，這樣的情況對於你個人亦是真實的。你起初對於神從罪惡當中拯救你的那一股激情，現在已經退卻了；你早期那種絕望的日子、你哭求主因為你不知道自己在做甚麼（如同我在亞特蘭大大道時的情況）的那些日子，已經被一種自信與確據所代替。我們都已學了許多，也聽說、看過許多了，立下我們的光榮記錄，累積了不少的「智慧」。

正是這一切，讓我們瀕臨極大的危險。

　　我們從一個名叫亞撒的人的生命中，發現這意味著甚麼。你或許已經許久沒有想到這個舊約國王的事蹟，也許你從來也不曾想過。大部份讀聖經的人，除非是個歷史迷，大概總在讀完掃羅、大衛與所羅門之後，便渾噩的混過去了。

　　亞撒是所羅門王的曾孫，神在歷代志下花了三整章的篇幅來寫他是有原因的。我想他的傳記是整本聖經裡最重要的傳記之一，特別在今天。

　　亞撒並沒有被刻意教養成一個屬靈的人。眾所周知，所羅門一直遠離神，直到接近人生的末了。接下來的耶羅波安，以及亞撒的父親亞比雅，容讓本該是一個敬虔的社會拜偶像。巴力被人當穀神來拜；亞舍拉柱石是男人生殖器官的大型雕刻，被人認為會帶來生育；這些都是平常的事；孩子活活的被燒死在對摩洛的獻祭當中。

　　在這樣的屬靈氣候當中，是誰帶領年輕的亞撒，勸他尋求神呢？我們不知道。歷代志下 14：1-4 只告訴我們，在亞撒統治的早期，「行耶和華他神眼中看為善為正的事，除掉外邦神的壇和邱壇、打碎柱像、砍下木偶，吩咐猶大人尋求耶和華他們列祖的神，遵行祂的律法、誠命。」

　　簡要的說，亞撒是在說：「暫停！我們手上一團糟。異邦祭壇與不道德的事必須除去，我們要來潔淨整個國家；我們要開始遵行主的命令並全心求告祂；我們必須讓祂靠近我們，好承受祂的賜福。」

　　這些人是以色列人，是亞伯拉罕的子孫，住在特別揀選之

地，然而他們卻處在一個可怕的屬靈光景當中。他們的傳統背景無法使他們免除不討神喜悅的後果，他們沒有特權可以用來要求免於犯罪的後果。事實上，作為神的選民，這樣的身份使神的懲罰臨到他們，較之臨到他們的對敵還要快。

任何屬靈覺醒的第一步都是*拆毀*。我們尋求神，若不先將我們裡面堆積的垃圾清除，便難有所前進。我們必須停止憑理性，必須開始看到我們以前沒有注意到的罪屑，這些便是使神的祝福停滯不前的原因。

我在想，是不是有政府官員說：「亞撒王啊，原諒我說，但這是你父親建蓋的……你的祖父獻了香爐壇，你真的確定要拆毀這些嗎？」

如果他們這樣問，亞撒會回答：「立刻拆除——就是現在！先父他們錯了，這些偶像是從迦南抄來的，但我們本不是迦南人。只要這些東西立在這裡，神永不會賜福予我們。」

任何時候人們饑渴地想要真正認識神，聖靈便立刻把鏟子與掃帚交到他們的手中。丈夫、妻子開始處理那些深藏在他們婚姻裡傷害他們的事件；成年人開始注意他們對於電視節目與電影的選擇；教會成員開始看到他們的閒言閒語、他們的種族歧視、他們的批評所帶來的損傷。

任何時候人們饑渴地想要真正認識神，
聖靈便立刻把鏟子與掃帚交到他們的手中。

我承認這聽起來似乎很老式，對於現代這種完全不管我們怎麼過生活，卻高聲宣稱神的祝福的習慣，我是追不上。但聖經又怎麼指示我們呢？

罪使聖靈擔憂，並消滅祂在我們當中的能力。不管我們戴著甚麼宗教標籤，沒有祂的祝福，我們便失去神命定要給我們的，以及要我們做的。

大約二十年前的一個禮拜天，在我們還借用基督教青年會的時代，在我接待新會員進入教會時，我即興說的一些話從那時候起便一直留下來。我說話時，人們在我的面前站成一排，聖靈似乎催促我加上：「現在，以本教會牧師的身份，我命令你們，若你們聽到有一個會友講另一個會友壞話，或是批評中傷的話，不管針對誰——我自己、別的牧師、招待同工、詩班班員，你有權中途制止那人，並對他說：『對不起，是誰傷害你了？是誰疏忽你了？是誰輕視你了？辛牧師嗎？讓我們現在到他的辦公室去，他會跪下來向你道歉，然後我們一起禱告，讓神恢復這個身體的和睦。但是，我們不能容讓你在他們背後隨意批評、論斷他們，卻沒有讓他們申辯的機會。』

新會友，請你們瞭解我是很認真的這樣說，我要你們立刻解決這樣的事情，同時知道：如果你是隨意講閒話的那人，我們會面對你，處理這問題。」

一直到今天，每次我們接受新會友，我都講相同的話。這一刻是嚴肅的，因為我知道講閒話是最容易毀壞教會的了。不是古柯鹼、不是政府的壓迫、甚至不是因為沒有錢，而是閒話

與中傷的話使聖靈擔憂。

　　人們點頭以示瞭解；結果，謠言與閒言閒語一直很少。當然，我們有幾次必須面對幾個人的問題，但是，以清潔的心與清潔的言語住在主面前，這樣的要求使我們從一開始便免除許多問題。

　　亞撒的早期以全國大掃除而出名，神以祂的祝福湧流在王與百姓身上為回應。

大挑戰

不幸的，全心尋求神並不能免除外來的攻擊。十年太平日子之後，亞撒忽然毫無明顯理由的被一支古實（衣索披亞）大軍侵入。亞撒的敬虔不能保證他的餘生平靜無波折。

> 不幸的，全心尋求神並不能免除外來的攻擊。

　　就在這一刻，神的尋求者已經建立起一個信心庫存，準備好面對新的問題。他們完全知道該怎麼做：

　　「亞撒呼求耶和華──他的神，說：『耶和華啊，惟有祢能幫助軟弱的，勝過強盛的。耶和華我們的神啊，求祢幫助我們，因為我們仰賴祢，奉祢的名來攻擊這大軍。耶和華啊，祢是我們的神，不要容人勝過祢。』」（代下 14：11）

　　亞撒的信心不是那種速成蛋糕粉式的信心，只要從架子上拿下來，打開包裝，攪拌一下即可。他與他的百姓已經呼求神十年之久了，因此他們不慌亂。他們呼求主起來幫助他們，主便這樣回應他們。雖然古實的數目壓倒性的眾多，古實卻被徹底擊潰，被掃蕩一空，因為「耶和華使其中的人都甚恐懼」（14節）。

　　這是神處理人的基本原則的典型例子。希伯來書11：6對此表達得最好：「人非有信，就不能得神的喜悅；因為到神面前來的人必須信有神，且信*祂賞賜那尋求祂的人*。」我無法把這點講得夠強烈：當我們尋求神，祂*會*賜福予我們；但是當我們停止尋求祂⋯⋯這一切便停止了，無論我們是誰。無關乎我們有多少才幹、牆上掛了多少文憑，或任何其他的一切。

　　亞撒從戰場回去的路上，一個先知上來迎接亞撒與他的軍隊，再一次的提醒他們剛發生的事情：

　　「要聽我說：你們若順從耶和華，耶和華必與你們同在；你們若尋求祂，就必尋見；你們若離棄祂，祂必離棄你們」（代下15：2）。這因果關係再清楚不過了。

　　我們越尋求神，便越發覺需要尋求祂。亞撒根據經驗開始四處張望⋯⋯發現他早先漏掉的事情，神殿中的祭壇損壞了，他立刻命令人修復。他召集所有的眾人開一個嚴肅會，在其中他與神重新立約。

神沒有呼召我作一個白人中產階級的基督徒，
祂只呼召我作一個基督徒。

後來他驚異的發現：他自己的祖母瑪迦太后仍然保有「可憎的亞舍拉神像」（15：16），他砍下偶像，並貶了這位年長的女人太后的位份。你能否相信亞撒竟有這種膽量，拆他自己祖母的台！全境的百姓不禁彼此心想：「這位王真的認真的在討神喜悅啊！」

想像他所要面對的社會潮流，想像他必須切斷的情結，他面對自己那與神的旨意相違的家族；然而亞撒已經決意不只是要作一個「瑪迦的孫子」。

我看到今天很多上教會的人，他們不敢挑戰家族的壓力。另有些人被中產階級，或是白人社會、黑人社會所牽絆。神沒有呼召我作一個白人中產階級的基督徒，祂只呼召我作一個基督徒。此外，不管祂的呼召是甚麼，祂要求我們對這呼召的忠誠必須高於其他任何事物。

作一個尋求神的人必須優先於作一個美國人，神的國度必須優先於保存美國文化。任何神所認可的必須優先，任何使神憂傷的都必須丟棄。

> 我們若不是更靠近神，便是遠離神；
>
> 　沒有維持現狀的情況。

　　亞撒知道誰配得他的忠誠；不是他的祖母、他的文化、他的傳統或任何東西，而是神自己。他真是一個專一事奉主的好榜樣！

失策

如果亞撒的故事就在這裡結束，我情願以任何東西與之交換，可惜事實卻不是如此。

　　二十五年過去了，這當中——就如同發生在很多教會、牧師、詩班指揮，或甚至整個宗派的情況——亞撒**不再感覺需要尋求主**。我們不知道為什麼。我們不知道是否因為對生活的關切使他的靈命軟弱；或許他覺得他已經達到屬靈高峰，可以放鬆了。但是聖經教導我們：我們若不是更靠近神，便是遠離神；沒有所謂維持現狀的。

　　有一天亞撒接獲消息說，他北邊鄰國的一小隊軍隊開始修建城堡、封鎖他的疆界（參代下16章）。這敵手與二十五年前的古實軍隊根本不能相比。這次亞撒怎麼做？他會如何反應？

　　「於是亞撒從耶和華殿和王宮的府庫裡拿出金銀來，送與住大馬色的亞蘭王便哈達，說：『你父曾與我父立約，我與你

也要立約。現在我將金銀送給你，求你廢掉你與以色列王巴沙所立的約，使他離開我』」（代下 16:2-3）。

這真是太奇怪了，這個一生尋求神獲致成功的人，現在竟然竊取神的金庫，用來收買盟國！

而亞蘭王竟也願意被他收買。他派他的軍隊出去，對亞撒的敵人施加壓力，以色列果真立刻撤退，不再攻打耶路撒冷。亞撒甚至還撿了一些以色列留下來的建材。

換句話說，這一招「生效」了。亞撒說不定覺得很自豪：*我用自己的聰明才智想出這個辦法來，我真行。*

百姓看出他們有一個聰明的領袖。許多教會今天也作同樣的假設：只要「有效」便行。如果有甚麼技巧能讓教堂坐滿人、讓帳單付清，那一定是神的祝福。看得見的結果證明這策略是神所制定的。這樣的想法在我們站在主面前時將被喚醒。

正當亞撒宮庭的官員彼此恭維，稱讚自己的聰明精敏時……另外一個先知哈拿尼來見王。他一開始說話，大家的臉色便沉下來。

「因你仰賴亞蘭王，沒有仰賴耶和華你的神，所以亞蘭王的軍兵脫離了你的手……」（7 節）。換言之，將來亞撒絕無法對抗亞蘭，他已經不得不與這個外邦國聯手了。

神的使者繼續說：

「古實人、路比人的軍隊不是甚大麼？戰車馬兵不是極多麼？只因你仰賴耶和華，祂便將他們交在你手裡。*耶和華的眼*

目遍察全地，要顯大能幫助向祂心存誠實的人。你這事行得愚昧。此後，你必有爭戰的事」（8-9節）。

今天神的眼目仍然遍察美國各地、加拿大、墨西哥、海中諸島，以及全世界⋯⋯尋找某個人──*任何一個人*──願意完全專心尋求祂，決意每個心思意念討神喜悅。對於這樣的人或群體，神要證實祂的權能，祂的大能要通過這樣的人來彰顯。

日子一天天過去，神從不停止觀看、尋找：豈沒有人要呼求祂的祝福？祂能將恩典傾倒在誰身上？難道沒有人想要嗎？

我們越不尋求神，神越尋找我們。為什麼不往祂的方向奔跑呢？當耶穌在耶路撒冷聖殿的眾人當中呼喊時，祂說：「人若渴了，可以到我這裡來喝。信我的人就如經上所說：『從他腹中要流出活水的江河來。』」（約7:37-38）。

當我們將自己安置在神永活恩典的管道當中時，所有奇妙、美好的事情都要發生。祂的能力幫助我們面對任何軍隊，無論大或小，並且為祂得勝。我們呼求祂，祂便差我們去完成那靠著我們自己的錢財、教育或過去的光榮歷史，都絕不可能完成的事情。

頑強到底

我真希望我能告訴你亞撒跪下來，乞求神赦免他的迷失、他自作聰明的政治計策。我真希望我能說，亞撒的心軟化，在主面前認罪悔改，回轉到他年輕時那樣熱切的信心。

事實上，正好相反。

「亞撒因此惱恨先見，將他囚在監裡。那時亞撒也虐待一些人民」（代下 16:10）。

那位年輕的王，曾經帶領整個國家尋求神的王，如今卻成為一個冷血的壓迫者。亞撒的故事向我們顯示，當人停止呼求神時，往往變得凶惡傲慢。他們自以為甚麼都懂，先知的責備只會激怒他們。

我們可將亞撒與他的高曾祖父大衛相比，後者也曾在後來的年日時犯錯。其實，大衛的過失甚至更糟：與一個已婚女人的一夜之歡，演變到殺害女人的丈夫，到後來更發生不智的人口調查。但是當先知的責備臨到——拿單是其中一例，迦得是另外一例——大衛哭起來：「我行這事大有罪了，」他認罪（撒下 24:10）。詩篇 51 是他在主的面前情不自禁、充滿感情、滔滔不絕地認罪的詩。難怪他被稱為「尋求神心意的人。」

人有一顆尋求的心，仍然會犯錯，但是他們對於責備與糾正的反應，會顯示出他內心的狀況，這便決定了神對他們的做法。

人有一顆尋求的心，仍然會犯錯，但是他們對於責備與糾正的反應，會顯示出他內心的狀況。

如果亞撒像大衛一樣，在神的面前存一顆破碎的心，誰知道他的人生又將會有甚麼結局？但是他沒有，亞撒最後的結局

實在可憐。老年時他患了疼痛難擔的腳病，有可能是尿酸痛風。他跛著腳在宮裡蹣跚行走，每一步路都使他的臉顯出痛苦的表情。「亞撒作王三十九年，他腳上有病，而且甚重。病的時候沒有求耶和華，只求醫生。他作王四十一年而死，與他列祖同睡」（代下 16:12-13）。

今天基督的國度就像亞撒，正因重病而受苦；我們的生命跡象顯得並不好。現在我們面對一個抉擇：我們可以穩穩站住，然後為自己的退後評斷說：「不要對我說我的屬靈生命需要矯正。我過得不錯，一切都還可以，不是嗎？不要管我。」或者我們可以像大衛，承認事實。

如果我們以一顆破碎的心來就近祂，無論何事在神都可能。我們必須謙卑自己，除去生命裡的骯髒污穢，倚賴祂而不要倚靠自己的聰明。你我的前途都取決於這一件事：尋求主。我們是否承受祝福並將這份祝福傳給人，都取決於這個真理：「祂賞賜那尋求祂的人」（來 11:6）。

十一

尋找平凡英雄

當有一天，信心成為眼見的那一天，那時候——只有到那時候——我們才不再需要尋求主。我們會發現自己在天上，與我們一直信靠、跟隨的那一位面對面。祂本身便是天堂——不是黃金的街道、碧玉做的牆，乃是神的榮耀光輝。我們將認識祂，如同祂自始認識我們一般。

此外，我們將與那些寫在聖經上的男女信心英雄見面，多麼令人興奮！我實在等不及與保羅見面，他寫的書信佔了新約一大部份，他的生命激勵了那麼多的基督徒；我渴望見到帶領以色列人出埃及的摩西，他為神立下許多偉大的功績；然後我還會遇見亞伯拉罕、底波拉、約書亞、路得、大衛、希利斯、西比該、亞希暗、希斯羅、撒拔……*這些是誰啊？我講到哪裡去了？你說你認不得最後這幾個名字？*

這些名字都仔細的被列在歷代志上十一章。這些戰士都是大衛的勇士，神的靈認為他們的表現令人印象深刻，因此將每

一位的名字記載下來。因為他們是「跟隨大衛勇士的首領，就是奮勇幫助他得國，照著耶和華吩咐以色列人的話，與以色列人一同立他作王的」（10節）。

這些人是我們今天的榜樣——雖然我們可能連他們的名字如何正確發音都不會。我承認有一些名字很奇怪：「朵多（Dodo，英文意為巨鳥，譯註）的兒子伊勒哈難（Elhanan）」（26節），我相信這個父親的名字，其希伯來文意思與英文是不同的！今天有些年輕父母流行為他們的孩子取舊約的名字，比如：塞特、迦勒，但我很懷疑像以太、希弗、彌伯哈、烏西亞……這樣的名字會再度流行。

這些人對於神的應許付出他們的力量，並採取勇敢的行動。雖然在大衛還是少年時，撒母耳便已經膏了大衛為將來的王，但這對他們來說還不夠。雖然不久之前，以色列的長老聚集在希伯崙，宣稱大衛是新的王室，但是在許多村莊以及四境邊界，並不是每個人都服他；情況仍然不是很明朗，這位神所膏立的王的王權仍未確立，外邦敵人仍舊住在神給祂的百姓的應許之地裡。

這些英雄可並不只是像今天許多人那樣，閒坐在那裡，說：「好了，神既然已經應許了，我相信祂會成就祂的應許。」他們站起來，採取行動，使應許成真。他們明白神在世上的工作經常是合作計劃；當我們降服自己來與祂同工時，祂便與我們同工。

因此，這些人冒著生命危險，離開他們的家庭，往那危險

的邊境前進。聖經三次用了一個特別的字眼來描述他們所做的：「**英勇事蹟**」（19, 22, 24 三節；NIV：exploits，中譯參現代中文意譯本）。

同樣在今天，耶穌基督的福音只能藉著敢於冒險的大能的男男女女，栽植在那滿懷敵意的城市邦國。各地冷淡的教會只能藉著那些拒絕接受現狀、真正屬靈的人來復興。只有當有人願意站在破口上，勇敢的靠著聖靈的大能來爭戰，迷途的孩子以及破碎的婚姻才能被神的手觸摸。

在這些大能的勇士當中，我有幸認識的要數潘迪蘿（Delores Bonner），她是一位非裔美國人，獨自一人住在布魯克林最頑劣的地區之一，她曾經在梅曼奈迪醫院作醫技人員三十多年之久；凱蘿與我是在聖誕節送禮物給教會裡的窮困孩童時認識她的。

那天迪蘿的公寓裡擠滿了人，但是那些孩子都不是她的；她從附近的收容所把他們帶來與我們見面。他們的生母被自己的種種問題搞得連聖誕節這樣的場合都無法露面。

「你怎麼認識這些孩子的？」我問她。

她謙虛的隨意敷衍我，沒有正面回答我的問題。後來我才從旁邊的人聽來，原來1982年，她在教會的一個禱告會裡信主之後，便開始關心在街頭巷尾以及住在那些歪斜傾倒的房子裡的孩子。神感動了她的心，她開始帶那些孩子來教會主日學。最初她租計程車帶他們來，後來有人聽到她所做的，便買了一部車給她。今天她有了一部迷你客車，能夠載送更多的孩童與

青少年聽福音。

這是迪蘿的一小部份故事。每個禮拜天，在不同場次的聚會之間，她督導清潔團隊的清理工作，使下一堂聚會的人有整潔的會堂敬拜神。每禮拜六她與福音隊出去，到政府蓋的組屋區去敲門，與人分享神的愛。週間，我發現她跪在樓上，與禱告團隊輪流為人們的需要代禱。她與宣教隊到祕魯時也同樣這麼做，當我在野外講道時，她與一群人為我呼求神。

當我們在布魯克林會幕教會一年一度的「年度傑出女性」要表揚她時，她顯得困窘，也不說甚麼。但是整個教會都知道，在我們當中的是一位神大能的女子，她的名氣超越這個世界膚淺的價值体系。

迪蘿是一個擁有安靜決心的女人，如同歷代志上12：18所說的：「那時神的靈感動那三十個勇士的首領亞瑪撒，他就說：『大衛啊，我們是歸於你的！耶西的兒子啊，我們是幫助你的！願你平平安安，願幫助你的也都平安，*因為你的神幫助你。*』大衛就收留他們，立他們作軍長。」神的權能與人的努力的結合在此再一次顯明。

很奇怪的，在大衛的名單上有兩個人甚至不是猶太人，他們是永不被准許進到聖潔的會幕裡敬拜的。亞押人洗勒（代上11：39）以及摩押人伊特瑪（46節），他們不偏不倚是來自「錯誤」的國籍。然而，洗勒與伊特瑪最終仍被表揚，因為他們為神的王冒險爭戰。

這些人都是凡夫俗子，卻為神做了不凡的事。他們提醒我

們那些記載在使徒行傳4：13的「没有學問的小民」。大衛的三十個大能勇士都不是皇族，他們不是西點軍校或是安那波利斯（譯註：美國最有名的軍校）的畢業生。他們只是從一些小地方──亞拿突、提哥亞、基比亞來的，他們下了決心要為神的受膏者立下英勇事蹟。

這個時代我們所需要的不是滿口時髦術語、姿態優雅，來往於世界各種問題、人道主義、新紀元、或是其他等等的基督徒。我們需要許多男女，他們願意從今天不敬虔的潮流當中、不禱告的教會當中、破碎的家庭當中，以及缺乏熱忱、軟弱蒼白的福音當中踏出來。他們不一定去上神學院，但是他們卻是神所教導、所訓練，真正能夠在屬靈國度當中作戰的。

驗證的時刻

大衛名單上的第一個人雅朔班，「他是軍長的統領，一時舉槍殺了三百人」（代上 11:11）。聽起來似乎是不可能的事，若没有神的權能超自然的彰顯，他絕不可能做成這事；單靠人的勇力，絕不可能在一比三百的情況當中得勝。

每當我們面對屬靈的事，若非倚靠神踏出去，冒險到前線戰場，我們永不會知道我們的潛力有多少；若非與我們的王連結，靠祂的名出去建立祂的國度，我們永遠無法經歷能力與恩膏的可能性。我們若只安坐在自己人當中討論聖經、彼此抱怨今天社會的可怕與黑暗，無法釋放出神的權能。祂與我們在戰場相會；當我們面對必須擊倒的敵人時，祂便灌注能力在我們

身上。

> 若非倚靠神踏出去，冒險到前線戰場，
> 我們永不會知道我們的潛力有多少。

在 12-14 節我們看到以利亞撒，他與大衛同行，面對與非利士人的一次重要交戰。我們從聖經的描述知道這場爭戰多麼不容輕視：「非利士人聚集要打仗，那裡有一塊長滿大麥的田，眾民就在非利士人面前逃跑。」這絕不是一場小戰爭，這是一場全面性的戰爭，面對一個超強的敵手。許多受到驚嚇的以色列人看到前面來的大群敵陣便逃命了。

但以利亞撒絕不是如此，他與大衛「便站在那田間擊殺非利士人，救護了那田。耶和華使以色列人大獲全勝。」又一次我們看到人與神工作的結合，神不獨自行動，祂沒有從天上放出閃電把非利士人燒燬；相反的，那天祂在全地尋找那位願意站在麥田間、接受祂超然幫助的人。當其他的人都害怕逃命時，這兩個人——大衛與以利亞撒——堅定的站住。

在撒母耳記下23：10對於以利亞撒甚至有更詳細的記載：「他起來擊殺非利士人，直到手臂疲乏，手黏住刀把。那日耶和華使以色列人大獲全勝，眾民在以利亞撒後頭專奪財物。」他是如此緊緊揮舞他的武器，腎上腺素分泌如此高昂，以至於他的肌肉緊張到無法放鬆武器。真正是神大能的勇士！

今天的世界渴求的便是像這樣的決心，與孤注一擲的信

心，緊緊抓住聖靈的寶劍，就是神的道，絕不鬆手——直到得勝。

如同以利亞撒，有一個鮮為人知、鮮為人見的人物，是第二次大覺醒偉大佈道家芬尼的同伴，他的名字叫但以理‧納許（Daniel Nash）。當他在紐約州時，曾經有一段暗淡無光的牧會記錄。當他四十八歲時，他終於決定完全奉獻自己為芬尼的聚會禱告。

納許老爸——許多人這樣稱呼他——總是悄悄地在芬尼到達前三、四個禮拜前，溜進芬尼即將前往的村鎮，租下一間房間，找到兩、三個跟他有相同心志的基督徒，開始在神面前懇求。在一個村裡，他所能找到的最好的房間是一間陰暗潮濕的地窖，這裡便作為他的代禱中心。

在另一個地方芬尼這樣記載：

當我到達一個村莊開始復興聚會，有一位女士與我聯絡，她經營一家寄宿屋。她說：「芬尼弟兄，你知道一位叫納許老爸的人嗎？他與另外兩個人已經在我的寄宿屋三天，到現在還未吃過任何東西。我打開門瞧一下，因為我聽到他們的呻吟聲，我看到他們把臉埋著；他們已經這個樣子三天了，伏倒在地板上呻吟。我想他們一定發生了甚麼可怕的事情，我不敢進去，不知該怎麼辦，能不能請你進去看看他們？」

「不用，不需要，」我答道。「他們只是在禱告中經歷

靈裡的分娩之苦。」（註1）

等到公開聚會開始，納許通常没有參加，他繼續在他的藏身處，為聖靈使人認罪、溶化衆人的心禱告。若反對之聲響起——在粗暴的1820年代這是常有的事，芬尼會告訴納許老爸，他就會更迫切的禱告。

有一次，一群年輕人公開宣稱他們會來聚會處鬧場、阻撓聚會；納許在禱告之後，從陰暗處走出來與他們對抗：「現在來吧！年輕人，對付我！一個禮拜之內神會打散你們，讓你們當中幾個人轉向神或是幾個人下地獄。因主真是我的神，這事必要發生！」

芬尼承認，這一刻他以為他的朋友越份了，但是就在接下來那個禮拜二早上，這群年輕人的領袖忽然出現在芬尼面前哭泣，承認他罪惡的態度，將自己獻給基督。

「我該做甚麼？」他問道。這位佈道家差他回去，告訴他的同伴是甚麼改變了他的生命。在那個禮拜結束前，「那班年輕人，若不是全部也幾近所有的，都歸向基督。」芬尼這樣報導。（註2）

1826年，有一群匪徒在一個鎮上將芬尼與納許的肖像焚燬，他們看出這兩個人，不管是那一個，都同樣對他們的邪惡構成威脅。

1931冬天，在納許過世前不久，他在一封信裡這樣寫：

現在我信服了,這是我的責任與特權,也是每一位基督徒的責任。我們應該盡可能的禱告,使聖靈降臨如同五旬節那天那樣,甚至更大的降臨……。我的身體疼痛,但我卻在神的裡面極其快樂……。我才只開始瞭解耶穌說:「你們禱告,無論求甚麼,只要信,就必得著。」(註3)

納許死後四個月後,芬尼離開了巡迴佈道,成為紐約市一個教會的牧師,因為他那位粉碎地獄之門的同伴不在了。今天如果你想要探望納許的墓,你必須開車到紐約州北邊,將近加拿大邊界;在一條泥土路旁,一個被人遺忘荒廢的墓園裡,你可以找到墓碑上這樣寫道:

但以理・納許

與芬尼一起作工

禱告的勇士

1775 年 11 月 17 日至

1831 年 12 月 20 日

納許在他的時代是一個無名小卒,人們可能覺得這個卑微的人不足以置評,因為他活在一個不同的層面。但可以確定的是,納許在天堂與地獄都非常出名。

聖經裡面提到另一位但以理,他的委身在神的院中顯得特出。「忽然有一手按在我身上,使我用膝和手掌支持微起

……。他對我說：『**大蒙眷愛**的但以理啊……。』」（但 10：10，斜體字為附加的）。想像被天上肯定的滋味！

> 那些屬神的大能的男男女女，他們將地上
> 令人分心的誘惑拋在一邊，
> 建立起屬靈國度的豐功偉業，
> 在地上他們是否有名氣並不重要。

　　這些便是屬神大能的男女的光景。他們在天上是有名的，他們所贏得的冠冕，使地上一切的財富顯得像廉價俗麗的亮片。在地上他們可能卑微、默默無聞的見證主、教導人、帶領人、禱告，但是他們卻是天上談話的重點。

　　歷史上的每個世紀、地上的每個大陸，正是像這樣的勇士把神的國度向前推進。他們將地上那些令人分心的誘惑拋在一邊，建立起屬靈國度的豐功偉業。在地上他們是否有名氣並不重要，他們的確是英雄人物。

誰？我們？

在歷代志上 11：22 裡，大衛的大能勇士名單中向我們介紹一位叫作比拿雅的人，他的英勇事蹟包括戰勝兩個最強悍的摩押人；他並且在下雪時在坑裡殺了一隻獅子。最令人驚訝的可能是他殺了一個埃及人，這埃及人的身高足以作為芝加哥公牛隊先發上場的中鋒；這位巨人手裡拿著槍，槍桿粗如織布的機

軸，而比拿雅只拿著棍子。

「從埃及人手裡奪過槍來，用那槍將他刺死。這是耶何耶大的兒子比拿雅所行的事，就在三個勇士裡得了名。他比那三十個勇士都尊貴」（23-25 節）。

在那個時代，博士學位不能帶給人榮譽，金錢或是傳媒無法使人得到榮耀，榮耀是為王行出英勇事蹟所帶來的。

今天誰為神行了英勇事蹟？敵人在哪裡被擊潰？這是所有有著屬靈心志的人最大的渴望；這些人不會被精鍊的講道與巧妙的組織技巧所蠱惑。那些被神所恩膏、要為神成就大事、改變情況的大能的男男女女在哪裡呢？

今天誰為神行了英勇事蹟？敵人在哪裡被擊潰？

我想我至少認識一位有著屬神大能的人。葛雷娜（Rina Gatdula）是一位菲律賓裔女子，她就像凱蘿與我的姊妹。神在布魯克林會幕教會的早期，差派她在我們中間，她那股豪邁的精神為我們帶來極大的祝福。當我們的招待人員被醉漢或無故逛進教堂的凶悍的人嚇倒時，雷娜便以一股從聖靈而來、無畏的勇氣面對面應付這些人。

雖然她在公眾演說上並不特別有恩賜，卻從事禱告與代禱的服事，這些服事幫助我們度過許多爭戰。無論是為了更大的建築物，或是為了一個冷淡退後的人能夠回到主面前，她都有著比拿雅的精神。當那些有需要的人來到聖壇前尋求幫助

時，她絕對緊緊抓住神，她深明與人們「禱告到透了」的藝術；許多人便因著她陪伴他們在施恩寶座前，因而在基督裡得到釋放。

她是如此獨特的不屈不撓，以至於當她搬到別的地方去時，那裡的教會簡直不知該當她如何。他們不瞭解她的恩賜；他們只看到她的英文很有限，她也沒有一些聰明的技巧；結果他們便不容許她開始事工。

今天，雷娜在布魯克林會幕教會開拓的教會當中，包括國內以及海外，來去旅行、提醒、勸勉大家：他們能夠靠著神行出英勇事蹟來。她似乎總是能夠挑起禱告的火花，無論是在荷蘭、舊金山、利馬、祕魯，她都是一個信心女英雄的活榜樣。

想想全美國五十州有多少傳福音的教會——假設有二十萬間好了。如果一間教會平均每週帶兩個人信主——可不是從街尾的第一浸信會或是第一拿撒勒人會搶過來的人喔，而是真的為神的國度贏得的新人，那麼一間教會一年便會有 100 位新受洗的信徒，**全國一年便有兩千萬新信徒。**

目前全美國人口約有兩億七千萬。一個教會一個月只要能帶八、九個人接受基督，兩、三年內整個美國將大大不同。任何一個認真教導聖經的教會，能不為著教會的王的緣故，立下這樣溫和的目標嗎？

神對地方教會的計劃一直是以傳福音為中心，那些被帶到基督面前的人便在他們能夠被牧養、被門徒訓練的地方生長。這樣便能避免許多移位問題，即我們常見的情況——超教會

的事工機構試著做許多本來該由地方教會做的事。

專注在傳福音上，當然將會迫使我們回到更嚴肅認真的禱告，並強調耶穌基督簡單的福音。神會，且只有祂能，預備我們面對得勝的屬靈爭戰。一位真正有心的信徒，不會像現在這樣有時間看這麼多電視；許多活動必須放棄。活在聖經當中、呼求主、禁食，然後向還沒有得救的人傳福音，這些便使我們的時間耗盡了；我們會願意無論付上甚麼代價都要得到神的恩膏。

一些在小村落裏的教會，每年達到一百人可能會有困難，但是在市郊的教會能夠補償過來，在市郊的需要與機會都大。

如果美國的教會真的開始行動，為建立神的「英勇事蹟」努力，今年為基督贏得兩千萬人，明年再兩千萬……，三、四年後我們會認不得我們的文化了。百老匯與好萊塢必須認定觀眾的喜好已經轉變，墮胎診所會開始找不到顧客，吸毒人口會直線下降。

有些人會攻擊我是在作理想主義的白日夢，但是這難道不是耶穌升天前告訴我們去完成的最後一件計劃嗎？「所以你們要去，使萬民作我的門徒，」祂說：「奉父子聖靈的名給他們施洗，凡我所吩咐你們的，都教訓他們遵守，我就常與你們同在，直到世界的末了」（太 28:19-20）。到底是甚麼才能震撼宗派領袖、牧師、平信徒，看到有一天我們都必須在神的審判台前作一個交代？我們自覺不配不能成為藉口，祂已經應許：當我們決心開始擴張祂的國度，祂要與我們同工。

為神勇敢

在歷代志上十一章裡的大能的勇士，甚至幫助大衛為他的王國征服了一個新的首府，在4-9節裡講到這個故事。今天的以色列國，已經為這個猶太人生活中心的耶路撒冷城，慶祝建城3000週年紀念。

這可不是一件容易的事，住在這城的耶布斯人坦白的告訴大衛：「絕對不可能的，這是一個堅固保障之城，你無法攻進來的。」其實，在撒母耳記下5：6記載他們對大衛的侮蔑：「就是連瞎子、瘸子都能抵擋你進這城。」

因此，必須要靠所有的辦法，為神行出特出的事蹟來。每當神攪動我們的心到一個新的地方建立祂的國度時，對敵一定會來刺激我們。那惡者總是想要說服我們，對我們說：我們已交鋒多次，一定很快會失敗丟臉的。

但是大衛與他的勇士繼續努力，他們不肯轉身退後。更甚的是，大衛作了一個非比尋常的提議：「誰先攻打耶布斯人，必作首領元帥」（代上11：6）。這意味著要第一個衝上牆頭迎戰，面對全副武裝的士兵，以及迎面而來的亂箭與石頭。大衛的外甥約押便抓住機會建立了這個英勇事蹟，他第一個破城而入，因此作了大衛的元帥多年。

這卻不是我們今天教會選擇領袖的方法。我們以履歷表、年資、形象、教育，以及其他半打以上人的要求條件來挑選。相反的，大衛選擇在真實世界的爭戰裡剛強勇敢的人。

如果我們夠勇敢，敢於繼續在屬靈爭戰中進攻，作為一個

禱告與信心的大能的男子與女子，神便能藉我們完成無止境的工作。我們有些人將成為像大衛王、布凱撒琳（譯註：救世軍創始人布威廉之妻）、芬尼這樣赫赫有名的人物；其他的則隱名埋姓如同以利亞撒、納許，以及葛雷娜等人。這些都不重要，重要的是為這個黑暗的世界帶來神的權能與光明；當教會從冷淡、漠不關心改變成為彰顯神工作、聖靈運行的地方，我們將看到地方社區被神觸摸之後的不同。

我們現在所崇敬的教會歷史中的英雄，沒有是因著他們的聰明的；他們都是神大能的勇士。慕迪從未正式被按立，芬尼不曾上過神學院，然而整個城市卻因著他們滿有恩膏的工作，而被神所造訪。

現在正是時候

到底是甚麼阻擋了我們成為主大能的勇士？神不曾改變，祂仍然比任何對敵加給我們的攻擊更強。

對於聖靈完全豐滿的能力，沒有任何個人或教會的情況是太無望、無可救藥的。神再沒有比現在這一刻更想要採取行動的了。祂正等候我們認真的看待祂的應許、勇敢的來到祂的施恩寶座前。祂要我們就在敵人攻擊之處面對敵人，靠著基督的名堅定抵抗。當我們如此做時，神要以天上一切的資源來幫助我們。

親愛的天父，感謝祢的憐憫，與祢藉耶穌基督賞賜的救恩。求祢赦免我們所有的罪與虧欠，使我們靠近祢，並在我們所有的人身上開始一項恩典的新工作。

使我們成為祢所要我們成為的人，將祢的疾風烈火充滿在我們的教會當中，破碎我們的驕傲，軟化我們的心，充滿我們，使祢的聖靈湧流出來。

喔，神，求祢成就這一切，好使耶穌的名高舉在全地上。阿們。

給牧師的話

　　我一直對於向牧師説話感到有些掙扎，因為我深知自己缺乏傳統的訓練。但是在那實際經驗的學校裡，聖經真理的印證是有目共睹的，這便是我在這裡所試著分享的。

　　下面所提到的是出自我內心的感觸，因為我們都是為了要完成神對我們生命的呼召：

　　1. 今天每位真正在崗位上服事的牧者，就如以弗所書4：11 説：「是因為基督使一些人作。……牧師與教師」（NI V英文直譯）。事工不是你的或我的想法，從最起初便是神的計劃。祂託付我們一份神聖的特權，並因此付予我們可畏的責任——為此，有一天我們必須在祂的審判台前有所交代。

　　讓我們都帶著一份渴望被神接納的心來帶領我們的會眾，而不是只專注於當代潮流或為了得到同儕的認定。基督有一天必要驗證我們工作的品質，祂對於人們所設立的牧者專業潮流沒甚麼興趣，因此我們都必須存謙卑敞開的心在祂面前，讓祂重新來安排我們所做的，好達到祂的認可。

　　2. 我們都必須面對這個事實，就是我們的教會以及所有的事工都是神所要的，都是浸透在禱告當中的。沒有任何新的啟示或教會增長技巧能夠改變一件事實，就是屬靈能力永遠緊

緊連結於與神相交。如果我們不禱告，如果我們的教會不渴求神的臨在，我們便永遠無法達到我們可能在祂裡面所能達到的潛能。

3. 許多來參加我們禮拜二晚上禱告會的訪客得到激勵，想要回去之後也這樣做。但是非常重要的是要分辨神的帶領，辨識會眾實際的靈命體溫，來決定下一步該怎麼做。

有一些牧師開始與我們相似的禱告會，也看到奇妙的回應，另有一些人卻經歷到令人失望的狀況。往往因為教會缺乏禱告的靈，週間禱告會雖然非常合於聖經且精神可佳，卻仍舊顯得冷淡落漠。這樣的結果令牧師氣餒，當他們眼見每個禮拜越來越少的人來禱告會，更是雙重打擊。

我往往鼓勵這樣的牧師重新安排主日敬拜，講道的時間可能可以減短，當講道結束，邀請那些覺得有感動的人上前來禱告。請同工以及在你四周的教會屬靈領袖與他們一起禱告。「聖壇敬拜」是甚麼？即是小型禱告會。

當人們對於把需要帶到神面前覺得越來越自在時，禱告的靈便開始凝聚，神便能帶領你們下一步路。我們必須要一直記得禱告是從聖靈來的恩賜，我們無法靠自己造成；因此給神時間在人們心中做工。一旦人們經歷到祂臨在的喜樂與能力，神便能夠行更大的事。

4. 讓我們決心絕不接受這樣的藉口，認為神無法在我們目前的狀況中工作……認為我們當中的人太富有……太窮困或太市中心……或太郊區化……太傳統或太前衛；這樣的想法在

聖經中絕對找不到。無論教會是甚麼族群或地處何方,我們都能看到神仍然如同祂在使徒行傳裡所行的,因為祂永不改變。惟一的改變發生在我們裡面。

　　讓我們的內心立志朝祂的方向來改變,看祂行那令人無法置信的事,讚美祂榮耀的恩典。

註釋

二、著火

1. Tom Carter, comp., *Spurgeon at His Best* (Grand Rapids: Baker, 1988), p.155: selections from the 1873 edition of the *Metropolitan Tabernacle Pulpit*, p. 218.

2. Andrew A. Bonar, *Heavenly Springs* (Carlisle, PA: Banner of Truth Trust, 1904), p.15.

四、有史以來最偉大的發現

1. Tom Carter, comp., *Spurgeon at His Best* (Grand Rapids: Baker, 1988), p.145: selections from the 1901 edition of the *Metropolitan Tabernacle Pulpit*, p. 247.

2. Copyright © 1989 Carol Joy Music\ASCAP (admin. ICG)\ Word Music\ASCAP. All rights reserved. Used by permission.

五、耶穌生氣的那天

1. J. B. Phillips, *The Young Church in Action* (New York: Macmillan, 1955), p. vii.

2. 同上, p. viii.

3. Lyle Wesley Dorsett, *E. M. Bounds, Man of Prayer* (Grand Rapids: Zondervan, 1991), p. 134.

六、戰慄的時刻

1. Andrew A. Bonar, *Heavenly Springs* (Carlisle, PA: Banner of Truth Trust, 1904), p. 34.

七、新奇的誘惑

1. Cited in V. Raymond Edman, *They Found the Secret* (Grand Rapids: Zondervan, 1984), p. 46.

八、市場行銷的誘惑

1. Marc Spiegler, "Scouting for Souls," *American Demographics* (March 1996), pp. 42-49.

九、欠缺能力的教條

1. William Law, *The Power of the Spirit* (Fort Washington, PA:

Christian Literature Crusade, 1971), p.19.

2. 同上, p. 124.

3. E. M. Bounds, *Powerful and Prayerful Pulpits* (Grand Rapids: Baker, 1993), p. 55.

4. J. Edwin Orr, *America's Great Revival* (Elizabethtown, PA: McBeth Press, 1957), p. 11.

5. Quoted by Wendy Murray Zoba, "Father, Son, and...," *Christianity Today* (June 17, 1996), p. 21.

6. Law, *The Power of the Spirit*, p. 23.

十一、尋找平凡英雄

1. Cited by J. Paul Reno, *Daniel Nash: Prevailing Prince of Prayer* (Asheville, NC: Revival Literature, 1989), p. 8.

2. 更完整的描述，請見 Garth M. Rosell and Richard A. G. Dupuis, eds., *The Memoirs of Charles G. Finney: The Complete Restored Text* (Grand Rapids: Zondervan, 1989), pp. 119-20.

3. Reno, *Daniel Nash*, p. 160.

國家圖書館出版品預行編目資料

疾風烈火
/ 辛傑米(Jim Cymbala)，梅定恩(Dean Merrill)作；
楊高俐理翻譯.
-- 初版. --台北市：雅歌，2000〔民89〕
面；　公分
參考書目：　面
譯自：Fresh Wind, Fresh Fire
ISBN 957-8763-87-5（精裝）

1. 紐約布魯克林會幕教會
(Brooklyn Tabernacle (New York, N.Y.))

247　　　　　　　　　　　　　　89010479

雅歌出書必屬好書

●曠野叢書
　　1.近代中國宗教批判／葉仁昌等著　　　　　　　160元
　　2.井歌／康來昌著　　　　　　　　　　　　　　200元
　　3.曠野手記／蘇南洲、彭海瑩著　　　　　　　　200元
　　4.基督教與二二八／蘇南洲主編　　　　　　　　240元
　　5.尋回綠色地球／張力揚著　　　　　　　　　　200元
　　6.科學對基督教的挑戰／李志航著　　　　　　　220元
　　7.海邊的粿葉樹／王貞文著　　　　　　　　　　200元
　　8.良人的花園／阮若荷譯　　　　　　　　　　　160元
　　9.基督徒的最後試探／康來昌著　　　　　　　　200元
　10.當十字架變爲十字軍／康來昌著　　　　　　　200元
　11.綠色的邀請／張力揚著　　　　　　　　　　　200元
　12.生態神學初探（舊約篇）／何建宗著　　　　　180元
　13.基督徒的社會參與／蘇南洲著　　　　　　　　200元
　14.轉捩點／俞一蓁譯　　　　　　　　　　　　　200元
　15.求道手記／王貞文著　　　　　　　　　　　　200元
　16.契合與轉化／莊祖鯤著　　　　　　　　　　　280元
　17.當代的基督／莫特曼著　　　　　　　　　　　200元
　18.市民・社區・夢／黃肇新著　　　　　　　　　200元
　19.俗世中的上帝／莫特曼著・曾念粵譯　　　　　400元
　20.向全能者抗辯──論約伯記／柯毅文譯　　　　280元
●大師的心靈世界系列
　　1.路益師的心靈世界／戴維揚等著　　　　　　　240元
　　2.陳映眞的心靈世界／康來新等著　　　　　　　220元
　　3.貝多芬的心靈世界／蕭惠芬譯　　　　　　　　200元
　　4.艾略特的心靈世界／余光中等著　　　　　　　200元
　　5.王文興的心靈世界／王文興等著　　　　　　　240元
　　6.潘霍華的心靈世界／王貞文等著　　　　　　　200元
　　7.薛　華的心靈世界／蕭保羅譯　　　　　　　　250元
　　8.史懷哲的心靈世界／邱信典譯　　　　　　　　200元
　　9.巴克禮的心靈世界／邱信典譯　　　　　　　　200元
　10.法蘭西斯的心靈世界／張力揚著　　　　　　　200元
　11.莫特曼的心靈世界／曾念粵編著　　　　　　　360元
●路益師(C.S.Lewis)名著系列
　　1.四種愛／林爲正譯　　　　　　　　　　　　　200元
　　2.詩篇擷思／曾珍珍譯　　　　　　　　　　　　240元
　　3.裸顏／曾珍珍譯　　　　　　　　　　　　　　300元
　　4.卿卿如晤／曾珍珍譯　　　　　　　　　　　　180元
　　5.神蹟／錢錕等譯　　　　　　　　　　　　　　250元
●基督徒全人小百科　　　　　　　　　（全套優待1500元）
　　1.基督徒的金錢觀　　　　　　　　　　　　　　180元
　　2.基督徒的婚姻觀　　　　　　　　　　　　　　180元
　　3.基督徒的職業觀　　　　　　　　　　　　　　180元
　　4.基督徒的屬靈觀　　　　　　　　　　　　　　180元
　　5.基督徒的社會觀　　　　　　　　　　　　　　180元
　　6.基督徒的家庭觀　　　　　　　　　　　　　　180元
　　7.基督徒的生活觀　　　　　　　　　　　　　　180元
　　8.基督徒的教會觀　　　　　　　　　　　　　　180元
　　9.基督徒的環境觀　　　　　　　　　　　　　　180元
　10.基督徒的教育觀　　　　　　　　　　　　　　180元
　11.基督徒的宣教觀　　　　　　　　　　　　　　180元
　12.基督徒的人際觀　　　　　　　　　　　　　　180元
●編寫叢書
　　1.樂在編寫／周聯華等著　　　　　　　　　　　250元
●當代科技與信仰叢書
　　1.遺傳工程與人的未來／潘柏滔著　　　　　　　250元

●東海叢書
　　1.基督教大學的角色與任務／周聯華等著　　　　160元
　　2.科技與人文／李志航等著　　　　　　　　　　160元
　　3.自然科學與信仰／劉大衛著　　　　　　　　　270元
　　4.挑戰與承擔／梁家麟著　　　　　　　　　　　250元
　　5.主流與非主流／蔡麗貞著　　　　　　　　　　150元
　　6.勇往直前──路思義的心靈世界／B.A. Garside著　270元
●發展管理叢書
　　1.直奔標竿101課程──加入教會　　　　　　　220元
　　　／華理克著／楊高俐理譯　　　　　　（學生本　80元）
　　2.直奔標竿201課程──邁向成熟　　　　　　　220元
　　　／華理克著／楊高俐理譯　　　　　（學生本120元）
　　3.直奔標竿301課程──發現事工　　　　　　　180元
　　　／華理克著／楊高俐理譯　　　　　（學生本100元）
●心理叢書
　　1.中年婦女的危機／俞一蓁譯　　　　　　　　　320元
　　2.自我心理分析手冊／戴俊男著　　　　　　　　120元
　　3.寶貝你的內心幼童／彭海陽譯　　　　　　　　360元
　　4.探索你內心的往日幼童／彭海陽譯　　　　　　360元
　　5.親愛同志／吳蔓玲譯　　　　　　　　　　　　280元
　　6.給你同志／吳蔓玲譯著　　　　　　　　　　　120元
●愛家叢書
　　1.性與親密／吳慈恩主編　　　　　　　　　　　250元
　　2.親愛家人／吳慈恩主編　　　　　　　　　　　250元
　　3.親密關係／吳慈恩主編　　　　　　　　　　　200元
●基文社代理
　　1.生命中的括弧／高金田著　　　　　　　　　　220元
●道德重整叢書
　　1.改造人類／道德重整協會編譯　　　　　　　　150元
　　2.道德重整運動創始人／彼得霍華得　　　　　　160元
　　3.和平天使／麥可韓德森　　　　　　　　　　　240元
●伊甸叢書
　　1.健康人生／劉俠總策劃　　　　　　　　　　　100元
　　2.微笑人生／杏林子等著　　　　　　　　　　　120元
　　3.預防殘障保健指南／伊甸編著　　　　　　　　120元
　　4.為媽媽健康加油／劉俠總策劃　　　　　　　　140元
　　5.用才的雙贏策略／劉俠總策劃　　　　　　　　100元
　　6.做個快樂健康的現代人／劉俠總策劃　　　　　120元
　　7.如何與殘障朋友相處／伊甸編著　　　　　　　120元
　　8.與真情相遇／伊甸編著　　　　　　　　　　　160元
●出頭天神學叢書
　　1.基督徒與祭祖／黃伯和等著　　　　　　　　　180元
　　2.族群和諧／黃伯和等著　　　　　　　　　　　180元
　　3.破鏡難圓？──從基督教信仰看離婚／黃伯和等著　180元
　　4.生死不由人──從基督信仰看安樂死／黃伯和等著　180元
　　5.出頭半邊天──台灣婦女神學的出路／黃伯和等著　180元
　　6.心靈天窗──靈命更新的神學與實踐／黃伯和等著　200元
　　7.離經叛道？──保羅婦女觀新解／黃伯和審訂　150元
●社會重建叢書
　　1.不信正義喚不回　　　　　　　　　　　　　　240元
　　　──弱勢正義關懷文集／曠野雜誌社主編
　　2.給她一片成長的土地／梁望惠等著　　　　　　200元
　　3.雛妓防治問題面面觀／勵馨基金會　　　　　　250元
●宗教與和平叢書
　　1.全球倫理／孔漢思、庫雪爾編著　　　　　　　150元
　　2.宗教交談基礎／莊嘉慶著　　　　　　　　　　200元
●雅歌文學創作系列叢書
　　1.解構／野聲著　　　　　　　　　　　　　──250元

・直接郵購九折優待。購買單本請另加郵資10元，4本以上請另加郵資60，
・購買2000元以上郵資免費。請利用郵政劃撥1359524-2基文社購買元・